De vrouw in de blauwe mantel

Dit boek wordt u aangeboden door uw boekverkoper ter gelegenheid van de Spannende Boeken Weken 2017.

SPANNENDE BOEKEN WEKEN

De vrouw in de blauwe mantel is door A.W. Bruna Uitgevers geproduceerd voor de Stichting Collectieve Propaganda van het Nederlandse Boek ter gelegenheid van de Spannende Boeken Weken 2017.

Deon Meyer

De vrouw in de blauwe mantel

Vertaald uit het Afrikaans door
Martine Vosmaer en Karina van Santen

Stichting Collectieve
Propaganda van het
Nederlandse Boek

Oorspronkelijke titel
Die Vrou in die Blou Mantel
Copyright © 2017 Deon Meyer
Vertaling
Martine Vosmaer en Karina van Santen
Omslagbeeld
© Stephen Carroll/Trevillion Images (vrouw in water)
© plainpicture/Kniel (landschap en zee)
© tpzijl/Shutterstock (Delfts blauw tegeltje)
© Deon Meyer (landschap onder)
Omslagontwerp
Studio Jan de Boer
Copyright Nederlandse vertaling © 2017 A.W. Bruna Uitgevers
Uitgever: Stichting CPNB
Productie: A.W. Bruna Uitgevers

ISBN 978 90 596 5422 8
NUR 330

spannendeboekenweken.nl
awbruna.nl
deonmeyer.com

Dit boek is gedrukt op 100% chloorvrij geproduceerd papier.

1

12 oktober

Hij heeft honger en dorst, hij is bang en uitgeput, en alleen de adrenaline houdt hem op de been. Hij loopt verder door het duister van de nacht tot de horizon verkleurt, de wereld vorm krijgt en zijn hoop herleeft. Even voor achten, vlak voordat de zon aan de kant van Rotterdam boven de horizon uit komt, ontvouwt de markt van Schiedam zich voor hem in het zachte, gouden ochtendlicht. De mensenmassa, de drukte, de chaos; zijn hart fladdert hoopvol op: hier kan hij misschien ontsnappen. Verdwijnen.

Hij kijkt niet om. Hij weet dat ze achter hem aan zitten. Hij loopt gewoon door, in dezelfde richting, en laat zich opslokken door het geroezemoes. De stemmen van venters die koopwaar aanprijzen, mensen die praten en lachen en ruziën en schreeuwen, een baby die ontroostbaar huilt. De geuren van vis en schelpdieren, krabben, garnalen en kreeft, van verbrande eendenveren en mest en natte aarde en varkensvlees aan een spit en worst die gerookt wordt en – een kort moment waarop zijn knieën knikken van de hunkering – de volle geur van verse, ronde broden wanneer de jongen met de grote mand vlak langs hem loopt.

Hij ziet een donkerblauwe jas over de achterkant van een kar hangen en pakt hem snel, met een slinkse beweging, als een vaardige dief. Hij vouwt de jas dubbel en houdt hem voor zijn lichaam. Naast een kaasstalletje, achter houten kratten, gaat hij op zijn hurken zitten, zet zijn hoed af, legt hem naast zich op de grond, trekt het stinkende, versleten bruine jasje uit, en legt dat ook neer.

De zon komt op boven de oostelijke kim. Hij trekt de gestolen jas aan, staat op, zakt door zijn knieën, strompelt, loopt even gebukt en komt dan pas overeind.

Hij slaat een nieuwe richting in, de kant van Delft uit.

Nog steeds kijkt hij niet om, hij is te bang dat hij ze zal zien, de vier. De vier die jacht op hem maken, hem opjagen.

2

Ze ligt languit bij het grote uitkijkpunt boven op Sir Lowry's Pass, haar hoofd naar het noorden, haar voeten naar het zuiden. Ze is helemaal bloot, haar lichaam wasbleek, de volle maan geeft haar huid een onnatuurlijke glans, als van een heilige.

Ze heeft haar ogen dicht. Haar rechterhand ligt losjes op haar buik. Haar benen zijn gekruist bij de enkels. De flonkerende lichtjes van de steden ver beneden haar, Gordonsbaai, Strand, Somerset West en zelfs Khayelitsha vormen een betoverende achtergrond. Op het eerste, haastige gezicht ligt ze uit te rusten, of poseert ze misschien voor een foto of schilderij? Maar als je scherper kijkt wordt het tafereel in het zwakke licht al snel verontrustend: de naakte vrouw in de nachtelijke kou van mei, haar linkerarm die in een eigenaardige hoek van het muurtje af hangt, de knokkels die net de rand groen gras raken. Er zitten vreemde vlekken en kale plekken in haar korte, lichte haar en schaamhaar. Het constante gedruis van het verkeer op de drukke N2, het gele schijnsel van de koplampen dat langs de rots vlak bij haar glijdt en weer verdwijnt. Het kan niet zo zijn dat ze hier zomaar ligt of uitrust. Er moet iets heel erg mis zijn.

Een kleine vijftien kilometer naar het oosten loopt het luipaardvrouwtje soepel over het pad, ze heeft het licht van de volle maan niet nodig. Ze wil naar het noorden, terug naar haar vertrouwde jachtgebied, de hoge rotsen en kloven van de ruwe bergen, haar afgebakende gebied, haar veiligheid.

Ze is hier al twee dagen, te dicht bij mensen en auto's en geluiden en geuren waar ze zenuwachtig en slapeloos van wordt, op zoek naar water en prooi na de lange droogte van de snikhete zomer.

Hier is het pad waarover ze gekomen is, twee sporen kronkelen de helling af, daarlangs wil ze terug, dan de asfaltweg over, langs het grote meer, ze kan het water al ruiken. En dan de bergen in.

Ze blijft plotseling staan door een gesuis, vaag, maar het wordt steeds luider, ze kent het, de klank van auto's. Ze ziet het schijnsel van de koplampen, ze ziet en hoort hoe er twee auto's recht beneden haar, voor haar, tot stilstand komen. Stemmen. Het piepen van een hek.

Ze draait zich om en versmelt met de schaduwen van de struiken.

Om 5.35 uur, twee uur voor zonsopgang, rijdt een taxibusje onderweg van Umtata naar Kaapstad het uitkijkpunt op omdat de chauffeur moet plassen. Hij stopt en stapt haastig uit. Hij ziet het lijk op het muurtje niet.

De passagiers zijn dertien vrouwen – naaisters en wasvrouwen, dienstmeisjes en werksters – allemaal Xhosa. Een van hen, op de tweede rij, ziet de onnatuurlijke figuur op het muurtje. Ze roept O, lieve Heer. De anderen worden wakker en kijken waar ze naar wijst. Ze doen de raampjes open en schreeuwen naar de chauffeur. Hij ziet het. Hij schrikt, plast op zijn schoen en vloekt. Hij trekt haastig zijn gulp dicht, doet het portier van het taxibusje open en stapt in. Hij start de motor.

Nee, zegt een van de vrouwen, bel de politie.

De chauffeur heeft er geen zin in. Hij bedenkt dat het uren vertraging gaat opleveren. Hij schudt zijn hoofd en zet het busje in de versnelling.

Het koor achterin is luid, verontwaardigd en eensgezind: 'We gaan niet rijden voordat je de politie hebt gebeld.'

Hij zucht, zet de motor af, pakt zijn mobiel en belt het noodnummer van de politie terwijl hij weer uitstapt en voorzichtig naar het lijk loopt. Hij staart tot hij echt zeker weet dat ze dood is. Een agente neemt op, hij rapporteert wat hij ziet en beantwoordt ellenlange vragen over de locatie.

Eindelijk kan hij ophangen. Hij rent terug naar het busje en wil weer gaan rijden. Maar de dertien Xhosa-vrouwen gaan tegen hem tekeer. 'We kunnen haar niet zo alleen achterlaten.'

Het uitkijkpunt op Sir Lowry's Pass is bijna even ver van Gra-bouw als van Gordonsbaai, daarom is er aanvankelijk verwarring over de jurisdictie.

De eerste politieauto treft een zonderling schouwspel aan, uniek voor deze zuidelijke punt van Afrika: dertien vrouwen die in het laatste donker voor het ochtendgloren in een halve cirkel om het lijk staan en zachtjes kerkliederen zingen, een taxichauffeur die even verderop zit toe te kijken.

Er komen nog meer patrouillewagens met nieuwsgierige agenten en brigadiers van de bureaus van de SAPS, de South African Police Service, in Grabouw en Gordonsbaai opdagen, en nog een uit Somerset West. Tegen zonsopgang loopt iedereen de plaats delict totaal te vertrappen en staat er een file op de N2, want automobilisten zijn als schapen wanneer er een hoop politiewagens naast de weg staan.

Dit alles leidt ertoe dat de rechercheurs uit Somerset West pas na achten komen opdagen, en de patholoog-anatoom, de video-eenheid en het forensische team nog een uur later.

Kort voor tien uur die ochtend meldt de patholoog dat de doodsoorzaak hoogstwaarschijnlijk trauma door een stomp voorwerp tegen de achterkant van de schedel was. Maar ze is elders vermoord. En het ziet ernaar uit dat het lichaam met een heleboel bleekmiddel is gewassen. Gewone huishoudbleek. Hij kan het duidelijk ruiken, en de witte vlekken in het hoofdhaar en schaamhaar bevestigen het.

Er is geen spoor van haar kleren of bezittingen.

De ambulance vervoert haar ongeïdentificeerd en naamloos naar het staatsmortuarium in Soutrivier.

Op dinsdag 16 mei.

3

Op de ochtend van woensdag 17 mei, kort na het ochtendappel van de Eenheid voor Ernstige Delicten van het DPCI, het Directorate for Priority Crime Investigation – ook wel 'de Valken' genoemd – loopt kapitein Bennie Griessel door de lange gang op de tweede verdieping naar het kantoor van zijn collega Vaughn Cupido. Hij klopt op de deurpost van de openstaande deur en gaat naar binnen.

Cupido neemt hem scherp op en zegt: 'Je valt straks nog door je eigen gat.' Want Griessel is acht kilo afgevallen sinds hij (opnieuw) is opgehouden met drinken en serieus is begonnen met fietsen.

Griessel reageert niet, hij trekt alleen een stoel bij en gaat zitten. Dan laat hij de bom barsten: 'Ik ga Alexa ten huwelijk vragen.'

'*Jissis*,' zegt Cupido.

Griessel heeft die reactie verwacht. Hij trekt zich er niets van aan. 'Ik moet een ring kopen, Vaughn. Ik heb raad nodig.'

'Even voor de goede orde,' zegt Cupido. 'Je hebt je vingers al gebrand aan je eerste huwelijk.'

Griessel knikt.

'En je bent een alcoholist.'

'Honderdzevenenveertig dagen nuchter.'

'En Alexa is ook een alkie.'

'Zevenhonderddrieënzestig dagen nuchter.'

'Zij is een rich woman, en jij bent een kapiteintje van de politie en je zit financieel totaal aan de grond door het filmschoolgeld voor dat jong van je.'

Weer knikt Griessel.

'Zij is zo'n voormalige famous singer, en jij bent een nobody die in de weekends basgitaar speelt in een bejaardencoverband.'

'Niet bejaard. Van middelbare leeftijd.'

'En toch ga je haar hand vragen, en nu ga je me vertellen dat je dat doet omdat jullie zo reuzeveel van elkaar houden.'

'Ja.'

'Heb je er echt goed over nagedacht?'

'Ja.'

Cupido kijkt hem aan. Er trekt een rilling door zijn lichaam, hij schudt zachtjes zijn hoofd en staat op: 'Cool. Let's go. Waar kopen we die ring? Sterns? American Swiss?'

'Mohammed Faizal.'

'Oh, I see. Je gaat dit huwelijksaanzoek lekker gezond aanpakken, door gestolen spul te kopen.' En dan: 'Love Lips? Is die nog actief?' terwijl ze de deur uit lopen.

'Ik schijt bagger voor het huwelijk,' zegt Cupido wanneer ze in de auto zitten, over de Voortrekkerweg, door Bellville en Parow, op weg naar Goodwood. 'Elke keer dat Desiree iets zegt wat kan worden opgevat als een hint naar een long-term relationship, of trouwen, trekt mijn maag zich samen.' Desiree Coetzee is de nieuwe vrouw in zijn leven, een ongehuwde moeder in Stellenbosch.

Griessel zegt niets.

'Jissis, Benna, ik ben al zo lang bachelor, hoe krijg ik dat voor elkaar? En dat joch van haar... Hoe kan je een pa zijn voor het kind van iemand anders? Want daar is hij naar op zoek, dat zie ik, hij is op zoek naar een pa, of minstens een vaderfiguur...'

Peinzende stilte. Tot Cupido zegt: 'Ik weet dat het me geen bal aangaat, maar why now? If it ain't broken, waarom wil je proberen jullie relatie met een huwelijk te fixen?'

'Omdat het Alexa gelukkig zal maken.'

'En jou?'

'Als zij gelukkig is, ben ik gelukkig.'

'Dus dat is love?'

Griessel haalt alleen zijn schouders op.

Het nieuwe pandjeshuis van Mohammed 'Love Lips' Faizal is op de hoek van de Alicestraat en de Voortrekkerweg in Goodwood. Er staat met grote zwarte letters op een lichtgele achtergrond CASHCADE.

Ze parkeren aan de overkant en stappen uit.

'Hij overschat zijn klandizie,' zegt Cupido als ze rennend de Voortrekkerweg oversteken. 'De doorsneeklant van zijn lommerd heeft geen flauw benul dat hij aan het woordspelen is.'

Op de stoep staan tweedehandsstoelen uitgestald, direct binnen de deur een stel fietsen. De winkel zelf is schemerig, want meubels staan op elkaar gestapeld tot aan het plafond, elke beschikbare millimeter is volgepropt met huisraad, serviesgoed, apparaten en gereedschap.

Faizal is met een hulpje achter in de winkel bezig een tafel onder een stapel uit te wrikken. Hij herkent Griessel en vraagt 'Hoe issie, Bennie?' met een glimlach om zijn dikke lippen. 'Ik ben zo bij je,' en hij gebaart naar de toonbank bij de westmuur.

'Oké,' zegt Griessel. Hij loopt met Cupido naar de toonbank, hun aandacht bij de verbijsterende verscheidenheid aan tweedehandsgoederen. En dan kijken ze allebei om als de voordeur achter hen verduisterd wordt. Er staat een jonge man met een groot, plat, vierkant voorwerp. Hij blijft staan en kijkt verbaasd naar de twee rechercheurs, zijn ogen zoeken Faizal, en gaan weer terug naar de rechercheurs. Er is iets zenuwachtigs aan hem, en dan komt de herkenning: het zijn politieagenten die daar staan.

Griessel en Cupido kennen die benauwde reactie, al sinds de tijd dat ze agenten op patrouille waren: de lichaamstaal van een heterdaadje. Een kort moment waarin niemand beweegt, en jager en prooi tegenover elkaar staan, peilend, voordat de jacht begint.

Cupido reageert als eerste. Hij zegt: 'Hé!' en loopt naar de man toe.

De man laat het grote, platte vierkante voorwerp los zodat het scheef tegen de deur komt te staan. Hij draait zich om en rent weg.

'Hé!' schreeuwt Cupido harder en hij gaat hem achterna. Griessel rent naar de deur en ziet de jonge man razendsnel en tegen het verkeer in de Voortrekkerweg afrennen, in de richting van de stad. Cupido, met een paar kilo meer, in zijn steenkoolzwarte strakke pak en op zijn puntschoenen, probeert het moedig maar de verdachte is jong en snel, en de voorsprong is al veel te groot.

Bennie weet dat hij een nog veel tragere achtervolger is dan zijn collega, hij ziet hoe Cupido op de middenberm moet springen om niet door een auto geschept te worden. De voortvluchtige verdwijnt om de volgende straathoek. Cupido doet nog een poging om de weg over te komen, maar een bus toetert hard, zodat de rechercheur verontwaardigd zijn hoofd schudt en zich gewonnen geeft. Hij draait zich om en loopt terug naar het pandjeshuis. Griessel kan zien dat Vaughn nu boos is.

'Die kerel had gestolen spul,' zegt Cupido tegen Love Lips Faizal en hij veegt het zweet van zijn voorhoofd.

'Mijn probleem niet,' zegt de eigenaar van de winkel. Hij is lang en pijnlijk mager, met vlezige lippen en abnormaal grote handen die nu gebaren.

'Maar wat moeten ze hier?' vraagt Cupido beschuldigend.

'Vertel mij maar eens hoe ik ze weg moet houden. Weet je wat daar op de muur staat?'

'People of Cape Town, breng me jullie gestolen waar.'

'Heel grappig. Wat staat daar op de muur?'

'Kan mij dat schelen.'

Daar staat: 'Cashcade. Dat betekent een cascade van cash, een waterval van poen. Daarom brengen ze de spullen. Voor de centen.'

'Dacht je dat ik niet wist wat cascade betekent? Wat overigens veel te clever is voor een doorsneelommerdklant.'

Het magere lichaam van Love Lips is één grote smeekbede: 'Bennie, zeg tegen die man dat mijn boeken kloppen. Zeg tegen die man dat jij, kapitein van de Valken, jezus nog aan toe, een van mijn trouwste klanten bent. Zeg tegen hem...'

'Mohammed is schoon, Vaughn,' zegt Griessel.

Cupido maakt een geluid achter in zijn keel. Sceptisch. 'Wat zit er in het pak dat die fugitive heeft achtergelaten?'

Faizal trekt het bruine papier van het vierkante, platte voorwerp dat de verdachte jongen zojuist bij de deur heeft achtergelaten.

Het is een schilderij, van ongeveer een meter vijftig bij een meter vijftig.

'Holy moly,' zegt Faizal.

'Zo slecht is het niet,' zegt Cupido.

'Nee, het is niet de kwaliteit, het is het onderwerp,' zegt Love Lips en hij verfrommelt het grote stuk bruin papier en gooit het aan de kant. Griessel tilt het schilderij op en draait het met de goede kant boven. Dan doen ze een stap naar achteren en kijken. Het is een naaktstudie in felle acrylverf, een vrouw die op een bed ligt, golvend zwart haar dat haar gezicht gedeeltelijk versluiert. Kwaliteit, schaal en perspectief zijn zelfs voor hun ondeskundige ogen nogal twijfelachtig, amateuristisch en gebrekkig.

'Is dat voor jou unacceptable?' vraagt Cupido. 'Dat daar? De kont van een witte vrouw?'

'Nee, er is niks mis met die kont,' zegt hij heel geduldig. 'Het is het blauw.'

De deken waarop de vrouw ligt, is diepblauw. Het materiaal vormt sierlijke plooien om haar borsten te verhullen, het overheerst de andere kleuren van het schilderij.

'Wat is er mis met het blauw?' vraagt Griessel.

Faizal zucht. 'Kom hier eens kijken,' zegt hij en hij loopt dieper de winkel in. Hij roept luid naar achteren: 'Harry, doe het licht eens aan voor ons,' en blijft ergens staan waar een stuk of twintig schilderijen tegen elkaar aan op hun kant staan, allemaal min of meer vierkant, de meeste groot, een paar kleiner.

De neonlampen aan het plafond flikkeren aan.

'Moet je kijken, de eerste tien of zo,' en Love Lips kantelt langzaam de schilderijen, als de bladzijden van een boek. Op elk schilderij is een vrouw afgebeeld; oudere vrouwen, jongere, zwart, wit, mager en mollig, gekleed en ongekleed, er zijn maar twee elementen die de schilderijen allemaal gemeen hebben: een vrouw, en de kleur blauw die eigenlijk altijd overheerst.

'De laatste paar maanden,' zegt Faizal, 'komen ze hier binnen en rappen ze van: "Lips, hier is de vrouw in het blauw".'

'De vrouw in het blauw?' vraagt Cupido.

'Precies. De vrouw in het blauw. En ik vraag elke keer: "Hoe bedoel je, de vrouw in het blauw?" en dan rappen ze: "Nou, er wordt gefluisterd dat er veel geld te verdienen valt met de vrouw

14

in het blauw." Het gerucht gaat dat iemand op zoek is naar een klassiek, origineel schilderij, geen reproductie, een origineel schilderij, de vrouw in het blauw. Alsof dat verdomme de titel is, snap je?'

'En wat doe je dan?'

'Ik neem ze steeds in pand als ze ermee aankomen. Maar alles volgens het boekje, ID, adresbewijs, the works. Alles geregistreerd.'

'Hoeveel geef je voor die dingen?'

'Vijftig, meestal.'

'Jezus.'

Faizal haalt zijn schouders op. 'Dat is dat spul waard.'

'Mohammed, de verlovingsringen...' zegt Bennie Griessel, want hij heeft Faizal over de telefoon al verteld waar hij naar op zoek is.

'Natuurlijk.' Faizal wijst met zijn duim naar achteren. 'De ringen liggen in de kantoorsafe. Kom maar mee.' En tijdens het lopen: 'Je weet wat ze zeggen, Bennie, de drie ringen van een relatie?'

'Nee.'

'De eerste ring is de verlovingsring. Dan komt de tweede ring, dat is de trouwring. En uiteindelijk is er de derde ring. Dat is de foltering...' En Love Lips lacht.

'Tasteless, brother,' zegt Vaughn Cupido afkeurend. 'Dat zeg je niet tegen een man die op het punt staat te trouwen.'

'Tweeëntwintigduizend rand,' zegt Griessel als ze terugrijden naar het hoofdkwartier van de Valken in de A.J. Weststraat in Bellville.

'I feel you, Benna,' zegt Cupido. 'Maar ik denk nog steeds dat Alexa ook happy zal zijn met een kleinere ring. Of een minder vlekkeloze steen. She's a class act.'

'Dat is het probleem niet, Vaughn. Alexa zal zeggen dat we helemaal geen ring nodig hebben. Maar ik zal je vertellen wanneer de ring gaat tellen. Op het moment dat de vriendinnen hem zien. Als die aan komen zetten met: "Oe, oe, Alexa, we horen dat je verloofd bent, laat zien, laat zien." Je wilde daarstraks weten wat liefde is? Dat is liefde. Zorgen dat de vrouw in je leven zich niet hoeft te schamen als ze op dat moment de ring moet laten zien.'

'I see,' zegt Cupido nadenkend. En na een tijdje: 'Dus feitelijk ben je de sigaar.'

'Precies. Ik heb geen idee waar ik tweeëntwintigduizend rand vandaan moet halen.'

4

Het is alsof je de verkeerde bus hebt gepakt, zal brigadier Tando Duba, de rechercheur van de SAPS in Somerset West later tegen zijn collega's zeggen: je bent op zoek naar een lekkere dikke, vette moordzaak, want dat betekent aandacht van boven, en aandacht van boven plus een goed onderzoek plus een veroordeling betekent promotie. En promotie betekent meer salaris. Dus dat is de bus die alle rechercheurs willen pakken: een lekkere dikke, vette moordzaak.

Tot je degene bent die de zaak pakt van de vermoorde vrouw boven in de bergpas, op het muurtje. De zaak die de kranten onmiddellijk met grote letters op de voorpagina hebben gezet: het 'Gebleekte Lijk', want dat bekt lekker, en in het Engels 'Bleached Body', want dat allitereert.

Zonder twijfel een lekkere dikke, vette moordzaak. Want je ziet je naam op woensdagochtend in de dagbladen. En je chef geeft je alle hulp die je nodig hebt, en het hoofd Recherche van de West-Kaap – een generaal! – belt je persoonlijk om je sterkte te wensen en ondersteuning te beloven. En je beseft dat deze bus een grote bus is, een vette bus, een droombus. Het is een bus waarmee je ver kunt komen.

Maar dan schiet je de hele woensdag en woensdagnacht geen meter op. Na de stortvloed van publiciteit heb je gewacht tot de telefoon ging rinkelen en iemand het Gebleekte Lijk een naam en adres en geschiedenis kon geven. Je hebt de beschrijving opgevraagd van iedere vermiste persoon van de Kaap tot aan Knysna, je hebt bulletins doen uitgaan, jij en je collega's hebben gebeld en gezocht en je vindt niets.

En om de vijf minuten vraagt de persvoorlichter of er nieuws is, want de media willen het weten. Tot je het gevoel krijgt dat de media een razend, hongerig beest is dat alleen maar wil vreten, en dat jij de volgende op het menu bent als je niets vindt.

Dan begin je het gevoel te krijgen dat je in de verkeerde bus zit. Een griezelig gevoel. Want deze dikke, vette bus gaat kennelijk niet alleen naar de halte Promotie. Hij kan ook op andere plekken stoppen.

Donderdagochtend vraag je de persvoorlichter om je met rust te laten. Dan moet je bij je chef komen en die zegt op zijn gewone, wijze, rustige manier: 'Tando, je kunt de media als je vijand zien, of je kunt de media als je vriend zien. Mijn raad is: vraag het mortuarium in Soutrivier om het gezicht van het Gebleekte Lijk een beetje op te kalefateren, en dan laat je foto's nemen en dan zet je die foto's in diezelfde kranten en op diezelfde nieuwssites die je nu steeds lastigvallen. Dan laat je de media voor je werken.'

Dan heb je het gevoel dat je bus weer op koers ligt.

'Een verlovingsring?' vraagt de vrouw in de bank aan Griessel.

'Ja,' zegt hij.

Tussen hen in ligt de aanvraag voor een lening.

'Voor uzelf?' Met de vriendelijke maar vage insinuatie dat het toch niet waar kan zijn. En hij kan het haar niet kwalijk nemen, want daar zit hij, zevenenveertig jaar oud, met de sporen van alcoholisme en decennia politiewerk op zijn gezicht, met zijn haar dat te lang is, en te warrig en steeds grijzer, en zijn ogen, zijn eigenaardige ogen die wel als 'Slavisch' zijn beschreven, die laten zien dat hij veel heeft meegemaakt, en dat het meeste ervan niet goed was.

'Ja, het is voor mij.' Heel geduldig.

'U hebt al een studielening...' Alsof hij dat niet weet. Die is voor de dure studie van zijn zoon Fritz aan de filmacademie.

'Dat klopt,' zegt hij terwijl zijn hoop vervliegt.

'Een verlovingsring... Dat is geen goed onderpand voor een lening...' Ze laat de zin in de lucht hangen, zodat hij zijn eigen, treurige conclusie kan trekken.

'Ik kan het me voorstellen.'

'En de instantie waar u hem wilt kopen... Het is niet een van de door ons goedgekeurde handelaren...'

'Het is uw beslissing,' zegt hij. 'Maar daar ga ik hem kopen.'

Want hij heeft zijn huiswerk gedaan. Bij de traditionele juweliers moet hij veel meer betalen voor een ring van dezelfde kwaliteit.

Hij staat op. Ze zoeken bij hem naar grotere solvabiliteit, of iets wat als onderpand kan dienen. Ze zoeken iets bij hem wat hij niet heeft.

Het lijkt of ze nog iets wil vragen, maar dan knikt ze en zegt: 'Ik laat het zo spoedig mogelijk weten.'

Op weg naar zijn auto vraagt hij zich af, hoe werkt dit? Je zit al bijna dertig jaar bij dezelfde bank, je hebt altijd alles terugbetaald wat je schuldig was. Soms een beetje laat, heel vaak met de grootste moeite, maar hij heeft in de loop van de jaren elke cent terugbetaald. Met rente.

Maar nu moeten ze gaan nadenken. Want hij heeft niets wat ze willen hebben.

Brigadier Tando Duba geeft de digitale foto's van het gezicht van het Gebleekte Lijk tegen vijf uur die middag aan de persvoorlichter van de SAPS. Ze besluiten om er maar één naar de media te sturen; de foto die de minste aanstoot zal geven, want het is toch de afbeelding van iemand die al ettelijke dagen dood is.

De persvoorlichter stuurt hem onmiddellijk per mail aan alle media op zijn lijst.

Die Son is de eerste krant die hem op Twitter zet. Daarna volgen alle andere nieuwsmedia en websites. Tegen zes uur is hij trending op Netwerk24, News24 en IOL.

Tegen acht uur is de foto een macabere, sensationele hit op Twitter, vooral in de leeftijdsgroep van veertien tot achttien.

Tegen halfnegen die avond gaat brigadier Tando naar huis, want er is nog geen reactie. De bestemming van de bus ziet er opnieuw somber uit.

Vinnie Adonis, achter in de vijftig, is een van de twee mannen die als dagportier in het chique Cape Grace Hotel aan de Waterkant in Kaapstad werkt. Vrijdagochtend 19 mei om halfacht legt hij *Die Burger* voor zijn collega op de balie en zegt: 'Is dat niet die Amerikaanse vrouw, Missus Lewis? Missus Alicia Lewis in twee-nul-twee. Die ene die zondag is aangekomen, geen Miss World, maar wel een lekker ding.'

'Best wel...'

'Wanneer heb jij haar voor het laatst gezien?'

'Nu je het zegt...'

Maar ze weten het niet zeker. Ze gaan met de krant naar de assistent-manager, die luistert, nadenkt en ze meeneemt naar de manager. De manager laat het hoofd Security van het hotel komen, ze halen de kopie van het paspoort van Alicia Lewis uit de map en alle vijf de personeelsleden vergelijken het bleekblauwe gezicht van het Gebleekte Lijk op de voorpagina van *Die Burger* met de pasfoto. Twee van hen zien weinig overeenkomst, twee vermoeden dat het misschien dezelfde persoon kan zijn. Vinnie weet het zeker.

Het hoofd Security zegt dat hij videomateriaal van de veiligheidscamera's van het hotel gaat halen, want pasfoto's zijn misleidend. De manager zegt dat hij alvast bij kamer twee-nul-twee gaat aankloppen.

Pas tegen negen uur valt de tweede dominosteen, wanneer de manager van het Cape Grace Hotel het nummer helemaal onder aan het bericht in *Die Burger* belt en tegen brigadier Tando Duba zegt dat ze reden hebben om te vermoeden dat het Gebleekte Lijk Alicia Lewis is, een Amerikaans staatsburger die kennelijk in Londen woont, want het adres dat zij hebben genoteerd is Carolstreet 10 in Camden Town, Londen.

De derde dominosteen valt wanneer de bureauchef van de SAPS in Somerset West het hoofd Recherche – de generaal! – in de West-Kaap belt om hem mede te delen dat het Gebleekte Lijk mogelijk een buitenlandse toerist is; bovendien een Amerikaanse-in-Engeland-woonachtige-buitenlandse-toerist. De generaal heeft alle rangen doorlopen, zijn gave om in de toekomst te zien is geslepen door jarenlange ervaring en wat hij ziet aankomen, zijn problemen. Hij zegt tegen de bureauchef van Somerset West dat het hem oprecht spijt voor brigadier Tando, maar omwille van iedereen, ook van de jonge rechercheur, zal het beter zijn om deze hete aardappel door te schuiven naar de Valken.

De bureauchef slaakt een onhoorbare zucht van verlichting. Want deze bus is nu internationaal en dan stap je liever uit met je mensen. Want een dikke, vette bus met een buitenlandse toerist als moordslachtoffer heeft maar één bestemming: deze bus gaat naar het circus.

5

12 oktober

Hij steelt een stuk zoutevis, hij steelt een sliert worstjes die naast de kop en poten van een enorm varken hangen. Hij eet de worst rauw, tijdens het lopen. Zijn maag rommelt en protesteert, maar hij weet dat hij deze brandstof, wat voor brandstof ook, dringend nodig heeft.

Hij loopt de markt af, naar het noorden, over de Delftweg. Hij kijkt pas om wanneer hij al een kwartier heeft gelopen. Hij ziet ze niet.

Hij eet de zoutevis aan de Oude Lee, zodat hij water kan drinken. Hij aarzelt niet, drinkt gulzig en lang en gaat dan onmiddellijk weer op weg.

Een uur na de markt in Schiedam, al bijna halverwege Delft, kijkt hij weer om, want er is minder verkeer, de weg is recht. Hij ziet ze. De vier.

Hij maakt een wanhoopsgeluid. Ze zullen hem te pakken krijgen.

Hij gaat sneller lopen.

6

Kapitein Bennie Griessel en kapitein Vaughn Cupido zijn de twee Valken die de bus naar het circus pakken. Die het dossier en de achtergrondinformatie bij brigadier Tando Duba moeten ophalen, en dan naar de stad rijden om met de mensen van het Cape Grace Hotel te praten.

Bennie zit achter het stuur, Vaughn bekijkt het verslag van de patholoog-anatoom in Deel B van het dossier. Hij leest voor: 'Vrouw, begin tot midden veertig, geen sporen van seksueel geweld, geen afweerwonden... Lichaam en wond grondig gewassen met huishoudbleekmiddel... Geen sporen onder de vingernagels, geen schotwondresidu... Trauma van stomp voorwerp aan het hoofd, verbrijzeld achterhoofdsbeen... Doodsoorzaak ernstig trauma aan het cerebellum, waarschijnlijk onmiddellijk ingetreden. Wond veroorzaakt door één enkele slag met aanzienlijke kracht. Geen wondresidu, geen splinters, geen microdeeltjes. Stomp voorwerp waarschijnlijk ronde metalen cilinder, wellicht een pijp van ongeveer 5 cm doorsnede.'

Cupido kijkt naar Griessel. 'Eén enkele slag, Benna. Aanzienlijke kracht.'

'Grote, sterke kerel.'

'En geen woede, geen paniek, geen overkill. Gewoon efficiënt.' Ze weten allebei dat dit soort enkelvoudige wonden vaak voorkomt bij dood door ongelukken in huis of in het verkeer, maar bij moordzaken is er meestal meer dan één wond; sporen van een worsteling, een moordenaar die woedend of in paniek of wanhopig verschillende houwen, steken en schoten toebrengt.

'Tijdstip van overlijden?' vraagt Griessel.

Cupido doorzoekt het verslag. 'Waarschijnlijk maandagmiddag.'

Griessel zucht. Dat betekent dat deze misdaad al zesennegentig uur oud is. Ze hebben nu al een achterstand, en die gaat waarschijnlijk alleen nog maar groter worden.

In het kantoor van de manager van het Cape Grace Hotel kijken de rechercheurs naar de opnamen van de beveiligingscamera's en de foto van het Gebleekte Lijk, en ze zien overeenkomsten, maar zijn niet helemaal overtuigd.

'Ze is het,' zegt Vinnie Adonis, de portier. 'Missus Alicia Lewis.'

'Hoe weet u dat zo zeker?' vraagt Cupido, altijd vol respect als het een kleurling met een legale, bewonderenswaardige witteboordenbaan betreft.

'Ik heb haar zondag geholpen, bij mijn desk, en ik heb haar maandagochtend geholpen, ik ben degene die het meeste contact met haar heeft gehad.'

'Zou u haar in het mortuarium kunnen identificeren?' vraagt Cupido.

'Als het moet, dan moet het.'

'Dank u. Nu willen we graag dat u ons van alles over Missus Lewis vertelt. Alles wat u zich kunt herinneren.'

'Oké. Ze kwam zondagmiddag in het hotel aan, vanuit Londen. Ze kwam me even voor vijven vragen of ik een rental car voor haar kon organiseren, want ze wilde maandag naar Villiersdorp. Ze zei de naam van het dorp als "Willy-ies-dò" met zo'n Amerikaans accent, ik moest het haar laten opschrijven, toen zei ik, "O, Villiersdorp" en zij zei "Ja". Dus ik zei no problem, wat voor klasse auto wil ze, en wil ze de auto delivered tegen extra kosten, of wil ze een taxi nemen naar Avis op het vliegveld? Toen zei ze, nee, laten ze morgenochtend een medium car brengen, om een uur of negen. Toen zei ik, dat komt in orde, ik zal alles voor haar regelen. En toen kwam ze maandagochtend weer naar mijn desk, even voor negenen, en ik deed met haar en dat mannetje van Avis het papierwerk. En toen, om negen uur dertien, volgens de camera, liep ze naar buiten met de sleutels van de Avis-auto. Een Groep E Avis-autootje, een zilverkleurige Toyota Corolla automaat. De saaiste auto van het land, maar wat doe je eraan?'

Griessel wil net vragen of ze zo snel mogelijk het kenteken van de auto door willen geven als de deur opengaat, en de manager zijn hoofd om de hoek steekt: 'We hebben misschien iets voor jullie...'

Ze kijken hem vol verwachting aan.

'Het is lastig met al het personeel tegelijk te praten, omdat ze het altijd druk hebben, daarom houden we kleine bijeenkomsten tijdens de pauzes. En van een serveerster die in The Signal werkt hebben we zojuist gehoord dat mevrouw Lewis op maandagochtend met een man heeft ontbeten.'

'The Signal?'

'Ons restaurant.'

'We willen haar graag even spreken,' zegt Cupido.

'Natuurlijk. Ze zit op jullie te wachten.'

'Zijn er camerabeelden van de man?' vraagt Griessel.

'We gaan direct kijken,' zegt de manager.

'Graag,' zegt Griessel.

Alleen Griessel loopt met de manager mee naar de monitorkamer van de veiligheidscamera's, want Cupido gaat met Vinnie Adonis naar het mortuarium in Soutrivier.

De serveerster staat al te wachten, een jonge Xhosa-vrouw. 'Ik dacht dat het haar opa was,' zegt ze terwijl ze wachten tot ze het goede materiaal op het scherm kunnen bekijken.

'De man met wie ze heeft ontbeten?'

'*Ewe*. Hij was oud, en hij was zo,' ze houdt haar hand laag en gebogen om te laten zien dat de man klein en krom was.

Het hoofd Security speelt de video van de camera in de lobby voor hen af op twee keer de normale snelheid, tot de serveerster zegt: 'Dat is hem.' Het duurt even om het beste beeld op het scherm te bevriezen.

'Zie je,' zegt de serveerster. '*u-Tatamkhulu*. Een opaatje.'

Griessel knikt. De man in beeld is ergens aan de verkeerde kant van de zeventig, klein van gestalte, met een kromme rug en een stijf oudemannenloopje, maar hij heeft iets kordaats en levendigs, iets zelfverzekerds. In zijn rechterhand heeft hij een aktetas van zacht leer, in zijn linkerhand een grijze gleufhoed. Hij is deftig gekleed met jasje, wit overhemd en das.

'Je weet heel zeker dat hij met mevrouw Lewis heeft ontbeten?' vraagt Griessel.

'Ewe. Heel zeker.'

Griessel vraagt het hoofd Security hoe laat de man in het hotel is aangekomen.

'Kwart over zeven.'

'Kunnen we zien hoe laat hij is weggegaan?'

'Natuurlijk.'

Hij vraagt de serveerster of ze kon horen waar ze het over hadden, mevrouw Lewis en haar gast.

'Nee. Maar hij gaf haar een boek.'

'Wat voor boek?'

'Dat zag ik niet. Hij haalde het boek uit zijn koffertje en schreef er iets in, en toen gaf hij het aan haar.'

Cupido belt hem een halfuur later om te zeggen dat Vinnie Adonis het lijk van Alicia Lewis positief heeft geïdentificeerd.

Dat betekent dat hij contact kan gaan opnemen met de nabestaanden. Even voor vijf uur, in het kantoor van de hotelmanager, belt Griessel het vaste nummer van Alicia Lewis in Londen. De telefoon gaat vier, vijf, zes keer over voordat iemand buiten adem opneemt: 'Hallo?'

'Goedemiddag,' zegt Griessel, en hij beseft dat hij niet weet hoe laat het nu in Engeland is. 'Met wie spreek ik?'

'U spreekt met Tracy.'

'Mevrouw, bent u familie van mevrouw Alicia Lewis?'

'Júffrouw Lewis. Nee. Waarom?'

'Is dit haar woning?'

'Ja. Met wie spreek ik?'

'Wat is uw relatie tot juffrouw Lewis?'

'Sorry, met wie spreek ik?'

'U spreekt met Bennie Griessel. Ik ben kapitein van de Zuid-Afrikaanse politie. Ik bel uit Kaapstad.'

'O, jezus... Is er iets met Alicia?'

'Mag ik u alstublieft vragen wat uw relatie tot juffrouw Lewis is.'

'Ik pas alleen op haar huis. Ik... Ik ben een student, ik... Is er iets met haar?'

'Mevrouw, ik moet u tot mijn grote spijt mededelen dat juffrouw Lewis maandag is overleden.' Met zachte stem en op zachte toon, want hij weet dat het woorden zijn die mensenlevens voorgoed zullen veranderen.

Het duurt bijna vijf minuten voordat Tracy Williams in een huis in Londen genoeg gekalmeerd is en hij haar vragen kan stellen.

Ze zegt dat ze de afgelopen twee jaar op het huis van Lewis heeft gepast wanneer die met vakantie ging, of een weekend de stad uit was. De drieënveertigjarige Alicia Lewis is nooit getrouwd geweest en heeft geen kinderen. Er is al een paar jaar geen sprake meer van een relatie. Lewis heeft een zusje en een moeder die ergens in Amerika wonen. 'Ik geloof Long Island of zoiets.'

Zou ze de contactgegevens kunnen vinden?

Ze zal het proberen...

Is er een werkgever die deze gegevens heeft?

Ja, Restore zal ze nog wel hebben. Lewis heeft een maand of wat geleden ontslag genomen, ze heeft bijna twintig jaar bij Restore gewerkt. Een kunstfirma.

Griessel vraagt of Williams misschien contactgegevens van die firma heeft.

Nee, maar ze zegt dat hij kan kijken op restore.art.co.uk, onder 'Contact Us'.

Dan vraagt hij haar hoe laat het eigenlijk is in Londen.

7

Wanneer hij eindelijk klaar is met het tweede telefoontje, gaat hij op zoek naar de manager om hem te bedanken dat de SAPS op kosten van het hotel intercontinentaal mocht bellen. Dan loopt hij naar kamer twee-nul-twee.

Cupido heeft geel afzetlint dwars voor de openstaande deur geplakt. Vaughn heeft hun moordtassen – grote, zwarte aktetassen – in de gang op de grond gezet. Die van Cupido staat open. Ernaast liggen zijn lange zwarte winterjas en colbertje, netjes opgevouwen op een stapeltje. Griessel kijkt de kamer in. Binnen zit Cupido op zijn knieën bij het grote bed en kijkt of er iets onder ligt. Op het bed staat de grote koffer van Lewis. Vaughn heeft ziekenhuisblauwe schoenbeschermers en doorzichtige rubber handschoenen aan.

'Ik ben er,' zegt Griessel.

'PCSI is onderweg,' zegt Cupido. Hij doelt op de elite Provincial Crime Scene Investigation die vaak het forensisch onderzoek doet op een plaats delict van de Valken.

'Oké.' Griessel trekt zijn jasje uit en legt het opzij. Hij pakt de schoenbeschermers en handschoenen en trekt ze aan. Dan gaat hij gebukt onder het afzetlint door en loopt de grote hotelkamer in. 'Ik heb naar haar huis gebeld in Londen. Daar heeft ze kind noch kraai, ze is nooit getrouwd geweest. Er zijn een moeder en een zusje in Amerika, ik zal ze bellen, ik wacht nog op de telefoonnummers. Lewis woonde alleen, een meisje... een studente die op haar huis past, vertelde dat Lewis voor vakantie naar de Kaap was gekomen. Lewis werkte bij een firma die Restore heet. Volgens hen heeft ze eind maart ontslag genomen, ze had gezegd dat ze een jaar of twee sabbatical wilde...'

'Nu, een maand geleden?' Cupido staat weer, hij heeft de koffer geopend.

'Ja.'

'Sabbatical?'

'Ja, ze...'

Cupido snuift. 'Sabbatical. Ik weet niet eens wat dat betekent. Het zijn alleen rijke witte mensen die met zo'n term smijten zodat andere rijke bleekscheten niet denken dat ze op hun luie reet zitten...'

Griessel weet dat het geen zin heeft Cupido te onderbreken als hij stoom afblaast. Hij wacht tot zijn collega klaar is. 'Ze zat in de kunst. Groot kunstkenner, zeggen ze, van oud werk. Er is een vrouw die met haar heeft samengewerkt en die haar beste vriendin was. Ze gaan haar vragen om ons te bellen, ze zit op het ogenblik ergens in Europa. Wat heb je al gedaan?'

'Zowat alles. En het enige wat ik gevonden heb is de laptop.'

Griessels telefoon gaat. Hij haalt hem tevoorschijn en ziet dat het Cloete is, hun persvoorlichter. Het betekent dat de pers al heeft gehoord dat de Valken de zaak hebben overgenomen. Hij neemt niet op, hij belt straks wel terug. Hij zegt alleen 'Cloete' als Cupido hem vragend aankijkt.

'De gieren draaien zich warm,' zegt Cupido.

'Klop-klop,' komt een stem van de deur. Ze herkennen hem als Jimmy, de lange magere van de PCSI.

'Wie is daar?' vraagt zijn forensische collega Arnold – de korte dikke – expres heel hard zodat ze het kunnen horen. Samen staan de twee bekend als Dik en Dun, in het versleten grapje dat ze zelf vaak vertellen: De PCSI staat u bij door Dik en Dun.

'Wil,' zegt Jimmy.

'Wil wie?' vraagt Arnold.

'Wil je wat van de Valken?'

En dan lachen ze alsof het de grap van het jaar is.

Om 19.27 uur rennen Griessel en Cupido door de stortregen van de eerste winterstorm van het jaar naar de auto. Als ze onderweg zijn naar Bellville, belt Bennie Alexa om te zeggen dat het laat wordt.

Wanneer hij ophangt, vraagt Cupido: 'Ze weet nog niks van de verloving?'

'Nee.'

'Heeft de bank al iets laten weten?'

'Ze denken nog na.'

'Misschien is het een sign, Benna.'

Hij lacht. 'Je bent gewoon bang dat Desiree jou vraagt wanneer jij plannen gaat maken als ze hoort dat wij verloofd zijn.'

'Damn straight,' zegt Cupido. 'En ik schijt zeven kleuren stront.'

Flif Davids, de computerexpert van de Valken, wacht in de grote ruimte van het IMC, het Information Management Center van de Valken. Hij is klein en tenger, met het gezicht van een schooljongetje, en een gigantische afro. Hij sliste verschrikkelijk voordat het spraakgebrek chirurgisch werd verholpen, maar zijn bijnaam is blijven hangen.

Cupido geeft hem de Apple MacBook Pro, het metalen oppervlak zit nog vol met het vingerafdrukpoeder van de forensisch onderzoekers.

'Kom maar bij pappie,' zegt Flif en hij begint in zijn doos kabels en opladers naar het juiste stekkertje te zoeken.

Cupido en Griessel gaan tegenover elkaar aan de lange tafel zitten. 'Oké,' zegt Vaughn, 'ik heb zo'n beetje zitten nadenken. Laten we zeggen, ik heet Alicia Lewis, ik ben hoeveelenveertig?'

'Drieënveertig,' zegt Griessel.

'Drieënveertig. En ik heb zo'n twintig jaar in de kunst gewerkt, give or take, en ik ben superslim, want ik ben niet getrouwd...' met een betekenisvolle blik naar Griessel, die de blik negeert. '... dus ik kon al mijn geld sparen, en nu neem ik een sabbatical, en wat doe ik?'

'Ik hang een maand in Londen rond terwijl ik plannen maak voor mijn eerste vakantie...' zegt Griessel.

'Right. En van alle plekken in het universum die ik kan uitkiezen, kom ik naar de good old Republic of South Africa, en wel naar Cape Town. En dat is niet zo gek, want dit is de most spectacularly beautiful city in het geweldigste land van de planeet. So far so good.'

Griessel knikt.

'En het eerste wat ik doe als ik in het hotel ben, is de portier vragen hoe ik in Villiersdorp kom. Nou is dat niet de eerste toeristenbestemming die in je opkomt als je een Yankee bent die in Londen woont. En je eerste business die ochtend is breakfast met opa? Slaat als een tang op een varken.'

'Het betekent dat ze een afspraak had met opa. Dus ze kende hem,' zegt Griessel.

'En dat betekent dat ze onze Kaap misschien niet gekozen had vanwege de natural beauty. Het betekent dat ze een andere agenda had, of een geheime agenda.'

'Hoeft niet,' zegt Griessel. 'Misschien is opa een oude vriend die ook in de kunst zit.'

'True. Maar waarom met hem ontbijten, het eerste wat je doet op maandagochtend, de eerste ochtend van je vakantie, twee vrije weken in het vooruitzicht, vlak voordat je naar Villiersdorp rijdt om voorgoed te verdwijnen?'

'Dat is de vraag,' zegt Griessel. 'Ik denk...' Zijn telefoon gaat. Hij ziet dat het Jimmy van Forensisch is. Hij neemt op. 'Jimmy?'

'I dare say, old boy, may I speak to captain Ghriezel?' vraagt Jimmy met een nep Brits accent.

'Ze was Amerikaans, Jimmy. Ze werkte alleen in Londen.' Hij zegt het met veel geduld in zijn stem, want bij Dik en Dun is dat de enige aanpak die werkt.

'O,' zegt Jimmy, een beetje teleurgesteld. 'We wilden alleen laten weten dat er hier niet veel bruikbaars is. Geen bloed, geen sperma, we zullen morgenochtend de vingerafdrukken van de schoonmakers moeten afnemen voordat we kunnen zeggen of er niet-identificeerbare vingerafdrukken zijn.'

'Dank je, Jimmy.'

'Y'all have a good night, now,' zegt hij met een overdreven Amerikaans accent.

Flif Davids leunt naar achteren in zijn stoel, verstrengelt zijn vingers en zegt: 'Hebbes, password gekraakt. Wat hebben jullie nodig uit dit schatje?'

8

'We willen weten waarom ze naar de Kaap is gekomen. Wat ze in Villiersdorp wilde...' zegt Griessel. 'Wat dan ook...'

'The usual stuff. Check haar e-mail, en haar Facebook en haar agenda...' zegt Cupido.

'Ze heeft niet... Dat van de vakantie... Waar ik het meeste mee zit is het bleekmiddel,' zegt Griessel.

'Ik weet het,' zegt Cupido. 'Dat is nogal een contradictie.'

'Dat is een groots woord voor een politieman,' zegt Flif Davids terwijl hij op de MacBook in de weer is. 'Waarom is de bleek een contradictie?'

'Hoeveel flessen Glorix heb jij in je auto staan, Flif?'

'Nul.'

'Precies.'

'Ik volg je niet.'

'Kijk, die chick komt uit Engeland, en zo gauw ze de kans krijgt pakt ze een rental naar een klein flutdorpje op honderd kilometer van Kaapstad...'

'Vermoeden we...' zegt Griessel.

'Of die kant uit. En dan loopt ze een man tegen het lijf met een truckload Glorix die haar wil vermoorden? Zuiver toeval?'

'Maar hij kan haar eerst hebben omgelegd en toen de bleek zijn gaan kopen,' zegt Flif.

'Dat is het punt,' zegt Griessel. 'Dat klopt niet.'

'Want kijk,' zegt Cupido, 'dit ziet eruit als een giga georganiseer-de killer. De manier waarop de Bleached Body-killer haar lijk heeft tentoongesteld, als een soort etalagedisplay, heel verzorgd. Het stinkt naar een serial killer-moord. We zeggen niet dat het dat is, we zeggen alleen dat er...'

'Stof tot nadenken is,' zegt Griessel.

'Right,' beaamt Cupido. 'Bij dit soort dingen heb je organised killers, en disorganised killers, en dan heb je van die lui die een mix tussen de twee zijn. Maar deze kerel: één klap, maar één klap om haar dood te maken, clean, efficiënt. Businesslike. Heel georganiseerd. Het lichaam zorgvuldig wassen in bleek. Heel slim, heel georganiseerd. Hij pakt haar kleren, haar tas, haar auto, haar foon, en dumpt alles ergens. Clever. Georganiseerd. Stelt het lichaam zorgvuldig tentoon op dat muurtje op een mooie openbare plek. Een plek waar iemand haar zal vinden, weet hij. En dat wil hij. Again, heel georganiseerd.'

'Niet het soort kerel dat haar in een opwelling vermoordt en dan rond gaat rijden om bleekmiddel te kopen,' zegt Griessel.

'Een contradictie,' zegt Cupido.

'Oké,' zegt Flif Davids. 'Ik doe wat ik kan, maar het duurt wel even. Ze heeft geen mailprogramma geconfigureerd. Wat betekent dat ze via haar browser mailde. Nu is de vraag, wat voor webmail, en hebben we een password nodig?'

Ze laten Davids verdergaan met zijn werk en lopen naar het kantoor van Griessel om de bulletins over de vermiste huurauto naar alle politiebureaus te sturen en het dossier bij te werken.

Om 22.48 uur gaat Griessels mobiel. Hij ziet dat het een buitenlands nummer is en zegt: 'Ik denk dat het haar vriendin is.'

Hij neemt op in het Engels: 'This is captain Griessel.'

'My name is Cathy Coutts.' De stem heeft een zwaar Schots accent en is vol emotie. 'En Alicia Lewis was mijn beste vriendin.'

Cathy Coutts klinkt als een sterke vrouw. Hij vraagt eerst: 'Zal ik u terugbellen?' maar zij zegt, nee, bedankt en dan met een trilling in haar stem: 'Ik wil weten hoe ze is overleden.' Hij vertelt haar zo tactvol mogelijk de hoofdpunten van wat ze weten. Ze huilt nog niet, maar vraagt: 'Hebt u verdachten?' en dan: 'Hebt u aanwijzingen?'

Ze huilt ook niet wanneer ze Griessels vragen begint te beantwoorden. Ze vertelt hem dat Lewis een heel slimme vrouw was, met een master in klassieke en antieke kunst van de Arizona State University, en dat ze later nog een studie rechten heeft afgerond in Groot-Brittannië. 'Ze werkte zeven jaar bij het Art Loss Register in Londen, als casemanager recovery, het opsporen en terughalen...'

'Sorry, maar ik weet niet wat dat is, het Art Loss Register.'

'Het is de grootste particuliere database van vermiste en gestolen kunst ter wereld. Als een kunstobject van je wordt gestolen, gaan zij ernaar op zoek, en proberen het terug te halen. Zij werkte bij opsporing, ze was heel goed. Dat is de reden waarom Restore haar heeft geheadhunt, en daar hebben we meer dan tien jaar samengewerkt.'

'Wat doet Restore?'

'Eerlijk gezegd zijn we een rechtstreekse concurrent van het Art Loss Register, net als een aantal andere firma's. We hebben onze eigen database, en we bieden een brede dienstverlening voor alle aspecten van het opsporen van kunstwerken en verzamelobjecten die zijn verloren of gestolen...'

'Mevrouw, dit zal wel een heel domme vraag zijn, maar ik moet het kunnen begrijpen: hoe "verlies" je een waardevol kunstwerk?'

'Nee, het is een steekhoudende vraag. Duizenden families hebben bijvoorbeeld voor miljarden aan kunst verloren tijdens de Tweede Wereldoorlog, vanwege ontheemding, of de nazi's, of natuurrampen, kunstdiefstal, kunstlosgeld...'

'En Restore vindt de kunst weer terug?'

'Dat proberen we, maar het gaat verder dan dat. We helpen onze klanten bijvoorbeeld met onderzoek naar de wettelijke aanspraak op een kunstwerk, we bieden geschillenbeslechting, of geven advies over mogelijke claims. En natuurlijk het opsporen en terughalen, waaraan Alicia en ik werkten.'

'Wat deed ze precies?'

Griessel weet hoe onvoorspelbaar verlies en verdriet werken, hoe ze door verschillende herinneringen kunnen worden opgewekt. Hij is niet verbaasd als hij hoort dat dit het moment is waarop ze in snikken uitbarst. Hij wacht geduldig, hij zegt 'I'm so sorry,' en hij laat haar huilen.

Uiteindelijk vertelt ze hem dat Alicia Lewis en zij verantwoordelijk waren voor het hele proces van het terugvinden van verloren of gestolen kunstwerken en andere verzamelobjecten van grote waarde. Dat houdt in dat ze het eerste onderhoud met de klant hadden en daarna de noodzakelijke actie ondernamen: bellen met verzekeraars en politie, soms privédetectives, mensen of instanties die het kunstwerk in bezit hadden gehad, musea en experts die de echtheid konden verifiëren, om het item op te sporen, om te controleren of de aanspraak en het eigendomsrecht van de klant geldig waren, en om die aanspraken en rechten af te dwingen. 'Het zit feitelijk allemaal in de titel. We zijn Dossiermanagers recovery, met nadruk op "managers".'

'Had ze contact met mensen in Zuid-Afrika?'

'Misschien. Ik... Er was voor zover ik weet geen dossier... Bedoelt u professioneel, kende ze professioneel iemand in Zuid-Afrika?'

'Of persoonlijk. Heeft ze het ooit gehad over mensen in Zuid-Afrika, in Kaapstad, die ze kende of wilde opzoeken?'

'Ik... Nee... Het spijt me...'

'Heeft ze het over een vakantie in Zuid-Afrika gehad?'

Er valt een stilte op de lijn, hij kan haar horen ademen, al die duizenden kilometers ver weg. Hij hoort haar snuffen, en haar neus snuiten en dan diep ademhalen en zeggen: 'Weet u, kapitein, dat heeft ze nooit gedaan. We hadden zo'n... gemakkelijke vriendschap. Als een ouwe jas, zeiden we weleens voor de grap, behaaglijk en warm en zacht en vertrouwd als je hem nodig had, maar het was ook niet erg als hij een tijdje werd weggehangen. Zij is altijd single geweest, ik ben nu dertien jaar gescheiden, we hadden andere vrienden, we hadden verschillende interesses, maar de afgelopen tien jaar zagen we elkaar ongeveer elke werkdag, we lunchten twee of drie keer per week samen en ik dacht echt dat we geen geheimen voor elkaar hadden. We konden absoluut overal over praten. Ik dacht altijd dat het waardevolste van onze vriendschap het vertrouwen was. En toen, ergens in januari, veranderde er iets. Ze was... Ik weet dat het suf klinkt, maar het was alsof ze wegkeek, alsof haar blik was verschoven naar een... een soort horizon, een andere horizon. Ik heb er indertijd niet echt op gereageerd, weet u, ik dacht dat ze misschien iemand was tegengekomen, of misschien... we maken allemaal fases door, en ik... Maar toen, eind februari kwam ze mijn kantoor binnen en ging zitten en zei: "Cathy, ik heb er genoeg van. Ik ga ontslag nemen." Ik had het niet zien aankomen, ik had geen idee, ik dacht altijd dat ze het werk leuk vond. Hoe dan ook, ik voelde me een beetje verraden, in dat vertrouwen... Net zoals ik me nu voel. Want we hebben vorige week zaterdag nog samen gebruncht en het enige wat ze zei was dat ze overwoog een tijdje weg te gaan, en toen ik vroeg waarheen, zei ze Spanje misschien, ze had nog geen besluit genomen. Maar ze heeft met geen woord gerept over Zuid-Afrika.'

Pas tegen halftwaalf rijdt hij door de regen naar huis, in de Brownlowstraat in Oranjezicht. Hij loopt zo zacht mogelijk de trap op en gaat in de andere badkamer douchen zodat hij Alexa niet stoort, de hele tijd met de zaak van Alicia Lewis in zijn hoofd.

Hij staat bloot klaar om in de douche te stappen in de kou van de badkamer, als zijn mobiel het sms-geluid maakt. Het is Flif Davids: *Gmail, geen auto-login. Gaat ff duren. Ik ga zzzz.*

Hij legt de telefoon neer, stapt in de douche en draait de kranen open. Zijn gedachten vloeien samen met het water. Hij ziet hoe ze gestorven is. Een verschrikkelijke klap tegen haar achterhoofd. Het ene moment in leven, en dan gewoon weg. Al haar geheimen, haar nieuwe horizons samen met haar de eeuwigheid in.

Eén verschrikkelijke klap tegen haar achterhoofd.

Je moet ruimte hebben om een pijp zo te zwaaien. Ze moet stil hebben gestaan, haar aandacht ergens anders bij, het was geen aanval van voren, ze heeft hem niet zien aankomen.

Waarom?

Hij stapt onder de douche vandaan en droogt zich af. Hij doet het licht uit, loopt zachtjes naar het bed, stapt erin en hoort de regen op het dak. Alexa's lichaam is warm, haar armen zijn verwelkomend, ze schuift tegen hem aan en zucht behaaglijk. 'Liefje,' zegt ze ergens vanuit haar slaap. Hij denkt dat hij daarom met haar wil trouwen, deze thuiskomst. Want zij is zijn thuis.

Maar hoe vertel je dat aan Vaughn Cupido? Zonder nog wekenlang gepest te worden met je sentimentaliteit.

9

Zaterdagochtend, nog donker, tegen 6.24 uur, bijna geen verkeer op de N1. Als Griessel naar zijn werk rijdt, gaat zijn telefoon, hij herkent het nummer niet. Hij neemt op.

'Kapitein, met brigadier Duba uit Somerset West.'

'Goedemorgen, brigadier.'

'Goedemorgen, kapitein. Ik kreeg net een telefoontje van een professor Wilke die naar de radio luisterde en hoorde dat u het Gebleekte Lijk had geïdentificeerd, en hij zegt dat hij maandagochtend met haar heeft ontbeten...'

Griessel belt de professor vanuit zijn auto, identificeert zich en vraagt de man waar hij is, want ze willen met hem komen praten over zijn ontmoeting met Alicia Lewis.

'Ik zit in Schonenberg, in Somerset West, maar moet u horen, het probleem is dat ik niet weet of ik kan praten, ik bedoel of ik met u kan praten over alles waarover ik met mevrouw Lewis heb gesproken. Dat zal ik moeten verifiëren.'

Griessel combineert voor zijn geestesoog de hoge, hese stem door de telefoon met het kordate figuurtje op de veiligheidscamera's van het hotel, en hij glimlacht. Grappige opa.

'Hoezo?'

'Ik heb een contract getekend, Bennie.' Alsof ze oude vrienden zijn. 'En mijn woord is een erezaak.'

Ze rijden kort na zeven uur naar Somerset West, de zon is nog niet op, de bergen achter Gordonsbaai staan zwart tegen de verkleurende kim geëtst. Bij het Schonenberg Seniorencomplex moeten ze stoppen voor een slagboom en een register tekenen. De bewaker zegt dat hij meteen 'de prof' belt om te horen of ze een afspraak hebben.

'We zijn de Valken, brother, wij hebben geen afspraak nodig,' zegt Cupido.

'Doe me een lol, brother, ik doe gewoon mijn job.' Dat is taal die Cupido begrijpt. Hij knikt alleen en de bewaker belt, doet de slagboom open en wijst ze de weg. Ze rijden door, het senioren-complex bestaat uit rijen keurige huisjes met zwarte daken, licht-gele muren en goedverzorgde tuinen.

Griessel stopt voor het huis van Wilke en stapt uit. De deur gaat open en het mannetje komt naar buiten, professoraal gekleed in een bruin tweedjasje, wit overhemd en grijsblauwe das, zijn spier-witte haar volmaakt gekamd. 'Morgen, morgen, morgen, heren,' met zijn hand uitgestoken naar Cupido die het dichtst bij hem staat. 'Professor Marius Wilke, aangenaam kennis te maken, aan-genaam kennis te maken,' nog kleiner en drukker en kordater dan op de video te zien was, een karikatuur met zijn grote neus, hoge stem en de blijmoedigheid die hij uitstraalt, de fonkelende ogen, de levenslust.

Hij schudt geestdriftig beide rechercheurs de hand, zegt meer-dere keren hun naam en rang, misschien om ze in zijn geheugen te prenten, gaat hen voor naar binnen en biedt koffie aan.

De keuken en het eet- en zitgedeelte zijn één ruimte, de volle boekenkasten tegen alle muren maken het huiselijk en statig tege-lijk.

Hij blijft praten in de keuken terwijl hij met de koffie bezig is. Hij vertelt over de schok vanochtend toen hij het nieuws op de radio hoorde, dat de naam van het Gebleekte Lijk Alicia Lewis is, de arme, arme vrouw. En hij heeft maandagochtend met haar ontbeten, zo'n aangenaam ontbijt, ze is... hij bedoelt ze wás in levenden lijve zoveel aardiger dan in de e-mails en telefoon-gesprekken...

De professor komt uit de keukenhoek met een blad met dam-pende bekers en een schaaltje koekjes. 'Neem zelf, neem zelf, Bennie, ik mag toch wel Bennie zeggen? Ik heb mijn advocaat te pakken gekregen, nadat ik met jou had gepraat, om te weten hoe het zit met de geheimhoudingsclausule, en hij zei tegen me dat ik met jullie mag praten, want het gaat immers om een moord-onderzoek. Daarom heb ik onmiddellijk gebeld, want ik heb gezien, in al die misdaadprogramma's op tv, dat de eerste tweeenzeventig uur voor jullie heel belangrijk zijn, toch?'

'Wat voor geheimhoudingsclausule?' vraagt Cupido.

'Vaughn, jongen, het is eigenlijk een heel interessant verhaal.' Marius Wilke springt direct energiek op en loopt naar een boekenkast. 'Weet je, ik ben mijn hele leven als historicus verbonden geweest aan de universiteit hier...' Hij gebaart vaag in de richting van Stellenbosch en pakt vier dikke boeken van een plank. Hij steekt ze Cupido toe. 'Dit is mijn levenswerk, de geschiedenis van de Kaap, van zestien- tot negentienhonderd, ruwweg, het was mijn passie, vier boeken, vertaald in zeven talen, uitgegeven in zestien landen.'

Cupido pakt de boeken, kijkt naar de titels en geeft ze aan Griessel. 'Maar toen ik met pensioen ging, geloof het of niet, alweer zeven jaar geleden, ik word nu drieënzeventig...' en de professor gaat weer tegenover hen zitten, '... toen ben ik begonnen de familiegeschiedenis van de Wilkes te onderzoeken, voor mijn plezier, maar wel grondig, jongen, ik heb immers de kennis en je weet hoe het gaat, je praat erover en mensen zeggen, o, ik wil ook mijn stamboom onderzoeken, maar ze weten niet hoe en ze hebben geen tijd. En dan zeg je, laat ik helpen want ik vind het leuk om in archieven te graven, en voor je het weet, heb je een bedrijfje, en dan betalen de mensen je voor je onderzoeksdiensten en krijg je een reputatie en wordt het steeds groter. En natuurlijk, omdat je professor bent, omdat je gepubliceerd hebt, ben je zo'n beetje bekend; mensen vertrouwen je, mensen weten dat ze de juiste informatie krijgen. Mijn kleinzoon heeft toen een website voor me gemaakt en ineens liep het storm, Vaughn, jongen, je wilt niet geloven hoe druk ik het had na mijn pensioen, maar het verdiende lekker, en ik kon kieskeurig zijn, zo'n bevoorrechte positie, om te kunnen kiezen wat voor project je wilt aanpakken...'

De professor haalt diep adem en neemt een slokje koffie. Griessel en Cupido zeggen geen woord, ze willen instinctief de man niet afleiden, er is iets meeslepends aan de manier waarop de hese stem en de neus en de levendige ogen samen met het bijna kinderlijke lichaampje energie opwekken, als een dynamo.

'Maar goed, maar goed,' zegt Marius Wilke, 'dus ik kreeg vorig jaar juli de mail via de website, heb ik al verteld dat het www. yourheritage.co.za is? Dat is de naam van mijn website, jullie kunnen er gerust een beetje rondsnuffelen, mijn kleinzoon heeft hem gemaakt. Dus ik kreeg de mail van Alicia Lewis en ze vroeg of ik de schrijver was van *Good Hope, 1488 to 1806*, dat is de Engelse vertaling van mijn derde boek. Ik schreef terug en ik zei, inderdaad, inderdaad, en toen vroeg ze of ik nu freelance onderzoek deed, en ik zei, inderdaad, inderdaad. Toen stuurde ze me een contract, en direct allereerst... Wacht, laat ik het even pakken, ogenblikje, het ligt op mijn bureau, het contract, de geheimhoudingsclausule,' en hij springt weer op, een bejaard duveltje uit een doosje in een bruin tweedjasje, en verdwijnt in de gang.

'Donald Duck,' fluistert Vaughn Cupido, breed grijnzend, en Griessel barst bijna in lachen uit, want de beschrijving is de spijker op de kop, de stem, de neus, het waggelende, kordate, patserige loopje, een krielhaantje, een karikatuur-eendje. Maar dan is hij terug met het document in zijn hand en Bennie slikt zijn lach in en kijkt toe terwijl de professor het contract op de salontafel legt.

Wilke zegt dat Alicia Lewis hem eerst dat ding heeft laten ondertekenen, wat hem natuurlijk heel nieuwsgierig heeft gemaakt, wie zou niet nieuwsgierig zijn, Vaughn jongen, als iemand zegt dat het een groot geheim is? Ik bedoel, ik ben historicus, geheimen ontrafelen is mijn werk, mijn passie.

En dus ondertekent hij, en dan belt ze hem persoonlijk, hier in zijn eigen huis, en ze zegt, prof, ik zou willen dat u in de Kaapse archieven op zoek gaat naar een verwijzing naar een schilderij van Carel Fabritius.

De professor zegt de naam 'Carel Fabritius!' als de aankondiger bij een bokswedstrijd die weet dat er nu een enorm applaus zal losbarsten.

Het is een ongemakkelijk moment, de doodse stilte die volgt. De rechercheurs reageren niet want ze hebben nog nooit van Carel Fabritius gehoord.

'Wie?' vraagt Cupido.

'Fabritius,' zegt de professor met nadruk en iets minder ver-wachting.

'We weten niet wie dat is,' zegt Griessel.

'*Het puttertje?*' zegt de professor nog hoopvol.

Ze schudden hun hoofd.

'Donna Tartt?' zegt de professor, maar uit zijn stem klinkt door dat hij weet wat de reactie zal zijn.

Op hun gezicht is te lezen dat ze nog nooit van haar hebben gehoord.

'Hebben jullie wel van Rembrandt gehoord?'

'Natuurlijk.' Cupido klaart op. 'Iedereen kent Rembrandt.'

'Nou, Carel Fabritius was een leerling van Rembrandt. Om de waarheid te zeggen, hij was de enige leerling van Rembrandt die echt een eigen stijl heeft ontwikkeld. Als je het mij vraagt, was hij de beste van Rembrandts leerlingen.'

'Dus hij is al dood?'

'Ja, natuurlijk...'

'Oké, prof, even to the point,' zegt Cupido. 'Waarom is het zo belangrijk dat ze u daarvoor heeft gevraagd?'

'Nou, ten eerste, er zijn nog maar een paar schilderijen van Fabritius in de hele wereld, en de mogelijkheid dat er een in Zuid-Afrika zou zijn... Dat is fenomenaal. Maar meer nog, veel meer nog, ik ging op zoek in de archieven. En toen vond ik een verwijzing. Betrouwbare, betrouwbare bron, naar een schilderij van Fabritius hier in de Kaap.'

10

'Cool,' zegt Vaughn Cupido. 'En wie bleek het schilderij te hebben?'

'Gysbert van Reenen,' zegt de professor.

'Hebt u een adres?' terwijl Griessel zijn aantekenboekje uit zijn zak haalt en aantekeningen begint te maken.

Marius Wilke lacht, een geluid dat zo sterk aan het kwaken van een eend doet denken dat Griessel en Cupido tegen wil en dank meelachen.

'Ik heb een adres,' zegt Wilke als hij tot bedaren is gekomen. 'Papenboom in Nuweland. Er is maar één probleem. Jullie zijn twee-en-een-kwart eeuw te laat.'

Ze kijken hem alleen vragend aan.

'De verwijzing naar een schilderij van Fabritius komt van Louis Michel Thibault in 1788,' zegt Wilke.

De rechercheurs fronsen weer.

'Thibault is de man naar wie het Thibaultplein in de stad is vernoemd...'

'Aha,' zegt Griessel.

'Oké,' zegt Vaughn Cupido.

'Thibault was een architect, een invloedrijke, een geweldige man, hij is degene die... Kennen jullie Groot Constantia, die fraaie gevels?'

De rechercheurs knikken.

'Men neemt aan dat die het werk van Thibault waren... Heel interessante man. Frans, uiterst ontwikkeld, uiterst geleerd, en moedig ook. Hij was soldaat toen hij in de Kaap aankwam, in 1783, maar goed, goed, jullie willen nu geen lezing, hè, het belangrijkste is dat Alicia Lewis mij vroeg op zoek te gaan naar mogelijke verwijzingen naar een schilderij van Fabritius, en ik dacht wat een tijdsverspilling, maar ze betaalde in pond sterling, en daar zeg je geen "nee" tegen, met die wisselkoers. En waarachtig, dan vind ik het. 1788. Thibault, die een huis heeft ontworpen en gebouwd voor Gysbert van Reenen in Papenboom in Nuweland, en Thibault die in zijn dagboek schrijft dat hij op het housewarmingsfeestje was, en aan de muur een wonderschoon schilderij zag, en de naam onderaan was C. Fabritius, en het jaartal 1654. Niet te geloven toch? Een Fabritius! In de Kaap! Dat is fenomenaal.'

De rechercheurs knikken, maar niet erg enthousiast.

Griessel kijkt op van zijn aantekenboekje: 'Zeventienachtentachtig?'

'Ja,' zegt Wilke vol verwondering en enthousiasme.

'Prof, hadden jullie het daarover, maandagmorgen aan het ontbijt? Over iets wat honderden jaren geleden door een dooie kerel in zijn dagboek is geschreven?' vraagt Cupido.

'Onder andere. Ach, we hebben heerlijk zitten praten, ze was een fascinerende vrouw, zo interessant. O, ik heb haar uiteindelijk een van mijn boeken gegeven, een gesigneerd exemplaar, ze was een heel goede klant van me...'

'En dat is alles?' vraagt Griessel.

'Nee, niet helemaal. Ik wilde weten of ze het schilderij had kunnen opsporen, of ze de namen had nagetrokken die ik haar gegeven had.'

'Wat voor namen?'

'Dat is het juist, Bennie, jongen, dat is het juist. Thibault schreef in zijn dagboek dat het schilderij van Fabritius in 1788 al een paar geslachten lang in de familie Van Reenen was. Meer dan honderd jaar. De oude Van Reenen had tegen hem gezegd dat het elke keer naar de oudste zoon ging. Dat stond allemaal in het verslag dat ik voor Alicia heb geschreven. Toen heeft ze me per ommegaande laten weten dat ik een geslachtslijst moest maken. Ik moest proberen de afstammelingen van Gysbert van Reenen op te sporen. En waarom zou ze dat willen, Vaughn, jongen? Waarom? Omdat ze erachter wilde komen waar het schilderij nu is, dat weet ik zeker.'

'En wie heeft het schilderij nu?' vraagt Cupido ongeduldig, want hij vindt dat Donald Duck allang bij dat punt had kunnen zijn.

'Dat weet ik niet,' zegt professor Marius Wilke. 'Het probleem is dat nalatenschap aan de oudste zoon niet altijd zo simpel is. De oudste zoon gaat soms eerder dood dan de ouders, er waren niet altijd zonen in de vaderlijke lijn, om maar een paar dingen te noemen die verwarring kunnen scheppen. Ik heb haar negen mogelijke namen opgestuurd, van mensen die nu nog leven, rechtstreekse afstammelingen van de oude Gysbert van Reenen die het misschien geërfd kunnen hebben. Als niemand het verkocht heeft, natuurlijk.'

'En toen?'

'Toen heeft ze me heel erg bedankt, en betaald. En ik heb tegen haar gezegd, als ze ooit naar Zuid-Afrika kwam, moest ze het me laten weten, dan zou ik haar een van mijn boeken geven, gesigneerd natuurlijk, want ze was mijn beste klant, ze betaalde gul. Vervolgens hoorde ik maandenlang niets van haar, maar afgelopen week kreeg ik een mail, en nodigde ze me uit voor het ontbijt in dat prachtige hotel.'

'Zei ze toen wie het schilderij nu heeft?'

Het gezicht van de professor betrekt. 'Nee. Dat was voor mij een grote teleurstelling. Ze zei, het lijkt of het schilderij... of het verloren is geraakt.'

Daar hadden ze niet op gerekend.

'And that's it?'

'Nou, we hebben toch een heerlijk gesprek gehad, over kunst en over geschiedenis. Ze was een heel intelligente vrouw, belezen en bereisd en uiterst ontwikkeld. Uiterst ontwikkeld...'

'En toen?'

'Toen ben ik naar huis gegaan, en ben ik verdergegaan met mijn werk. En vanochtend hoorde ik het nieuws van haar dood.'

Teleurgesteld verwerken ze deze informatie.

'Heeft ze gezegd waar ze naartoe wilde, maandag? Wie ze wilde opzoeken?'

'Nee, voor zover ik me herinner niet. Ze zei alleen dat ze de Kaap een beetje wilde verkennen, en met mijn boek zou dat een heel speciale ervaring worden.'

'Zei ze iets over Villiersdorp?'

'Villiersdorp?'

'That's right.'

De professor denkt even na. 'Nee, helemaal niets...'

'Zei ze iets over andere afspraken? Mensen die ze kende in Zuid-Afrika?'

'Nee. Niets.'

Griessel staat aarzelend op. Hij had op meer gehoopt. Dan valt hem iets in: 'Was een van de namen, de negen namen die u haar gestuurd hebt, was een daarvan in Villiersdorp?'

'Bennie, jongen, nee, je hebt het niet goed begrepen. Ze heeft me alleen de namen gevraagd, de volledige namen, en ID-nummers, als ik die kon vinden. Ik heb niet... ik ben niet toegerust om mensen op te sporen, adressen en dat soort dingen. Ik rij zelfs geen auto meer...'

'Kunnen we in elk geval de namen krijgen?'

De professor pakt het document van tafel en geeft het aan Griessel. 'Dit is alles,' zegt hij. 'Het contract, de geheimhoudingsclausule en de namen. Ik kan zorgen dat jullie ook het onderzoeksmateriaal krijgen, natuurlijk.'

Griessel neemt het document aan, Cupido staat ook op: 'Prof, wat schat u dat zo'n schilderij van Fabriek waard zou zijn,' vraagt hij.

'Fabritius,' zegt Wilke.

'Die dus,' zegt Cupido.

'Dat is precies wat ik haar ook heb gevraagd. Toen zei ze dat het natuurlijk afhankelijk is van de staat waarin het verkeert. En of het echt bestaat, of het authentiek is. Ze zei dat het eigenlijk onmogelijk is een prijskaartje eraan te hangen, het is "priceless", dat is het woord dat ze gebruikte. Toen vroeg ik, maar stel dat zoiets op een veiling komt, bij Christie's, wat zou zoiets dan kunnen opbrengen. Toen zei ze minstens vijftig miljoen.'

'Sjonge,' zegt Griessel.

'Dollar,' zegt de professor.

'Krijg nou...' zegt Cupido.

'Maar misschien eerder honderd miljoen.'

'Jissis,' zeggen Griessel en Cupido in koor.

Hij loopt met hen mee naar hun auto. Hij zegt: 'Gaan jullie de mensen pakken die haar...' Weer met een gebaar in de richting van de bergen en de pas.

'We zullen ons best doen, professor.'

'Jullie zullen moeten opschieten, Bennie, jongen, jullie zullen moeten opschieten. Voordat iemand dat schilderij het land uit smokkelt.'

Ze rijden aanvankelijk zwijgend terug naar hun werk, over de N2 en de R300, peinzend over de nieuwe informatie.

Eindelijk zegt Griessel berustend: 'Rare wereld...'

'Damn straight,' zegt Cupido. 'Honderd miljoen dollar...'

'Een kwart eeuw bij de SAPS en ik kan nog geen tweeëntwintig-duizend rand bij elkaar schrapen voor een verlovingsring, niet eens als ik mijn basgitaar en mijn versterker verkoop. Maar er zijn lui die dat soort geld kunnen ophoesten voor een schilderij...'

'Een prentje, Benna. Dat schilderij is gewoon een prentje. Een paar penseelstreken en een emmertje verf. Van een dooie Hollander.'

'Honderd miljoen dóllar.'

'Anderhalf miljard rand. Het is gewoon obsceen.' En dan ineens bezorgd: 'Dat ga je toch niet doen, Benna, nee toch?'

'Wat?'

'Je basgitaar verkopen.'

'Nee. Dat kan ik me niet veroorloven, want dan verlies ik de twaalfhonderd rand die ik in de weekends met de gigs van de band verdien. Ik dacht, als ik dat geld kan sparen, kan ik over vijf maanden de ring contant kopen...'

Cupido zucht diep. Het leven is heel erg onrechtvaardig.

11

Ze nemen de afrit Strandstraat, het zaterdagochtendverkeer is wakker geworden, het parkeerterrein van de outlets in Access City staat al stampvol.

Bij de begraafplaats Stikland zegt Griessel: 'Er is iets wat blijft knagen...'

'Wat?'

Griessel neemt even de tijd om het in zijn hoofd op een rijtje te zetten. 'Bij Moord en Roof, een van mijn eerste zaken... Het is al bijna twintig jaar geleden, toen we nog in Bellville-Zuid zaten... Hoe dan ook, ik deed toen een moordzaak, in het President Hotel in Parow was het lijk van een oplichter, ene Volmink, gevonden, met een aantal steekwonden. Het was voor het eerst dat ik van de schatkaartzwendel hoorde, zo'n vervalste oude kaart die zogenaamd laat zien waar een grote schat begraven is...'

Cupido kent het, hij knikt en zegt: 'X geeft de plek aan...'

'Precies. Volmink had een variatie daarop gedaan, hij had de mythe verspreid van een oud Engels schip dat voor de Westkust was vergaan met heel veel goud aan boord. Hij had een varkensboer in Kraaifontein zo gek gekregen om in de "expeditie" te beleggen, maar toen zoop hij op een avond te veel in de bar van het President Hotel en praatte zijn mond voorbij, en een van zijn drinkebroers geloofde ook dat de kaart echt was, en klopte bij hem aan met een mes...'

'Denk je dat dit verhaal van prof Donald Duck een treasure map scam is?'

'Ik... Nee... Ik heb alleen zo'n gevoel, Vaughn. Honderd miljoen dollar? Dat kan niet kloppen. Voor een prentje van een man van wie ik nog nooit heb gehoord? En het toeval... Hoe zei prof Duck het ook alweer? Er zijn maar een paar schilderijen van hem op de wereld. Wat zijn de kansen dat er een in Zuid-Afrika is? Ik bedoel...'

'I hear you... Denk je dat die Donald in de scam zit?'

'Nee. Maar met die zaak Volmink indertijd... Die oplichters noemen het eerste stadium van een zwendel het "funderings-werk", als ze de grondslag leggen, als ze geloofwaardigheid op-bouwen. Volmink had een echte antieke kaart gekocht, ergens op een veiling, de kaart was eeuwenoud. Dat maakte deel uit van zijn funderingswerk, zo'n zwendel werkt gewoon beter als je iets hebt wat echt is. Misschien heeft Alicia Lewis professor Duck erbij gehaald om het geloofwaardiger te maken, zonder dat hij wist wat haar plannen waren. Hij moest voor haar iets vinden wat echt gebeurd was. Misschien wist ze van de historische verwijzing, misschien wilde ze alleen maar dat hij dat... Ik weet het niet...' en hij twijfelt opeens aan zijn eigen theorie.

'Nee, Benna, daar zit misschien wel wat in. Die tante werkt voor die belangrijke art recovery company, ze ziet elke dag hoe er crazy prijzen betaald worden voor prentjes, ze bekonkelt wat, die rijke stinkerds zijn allemaal zo lichtgelovig, zo gretig, weet je wat, laten we een mythe verzinnen, een schilderij dat honderd miljoen dol-lar waard is...'

'En toen dacht iemand dat het echt bestond...'

'Exactly...'

'Maar als je denkt dat het schilderij echt is, en je denkt dat alleen Lewis weet waar het is, waarom zou je haar dan met een machti-ge klap doodslaan, en haar lijk op de bergpas neerleggen?'

'Shit.'

Ze besluiten Cathy Coutts in Londen nog eens te bellen, om haar voorzichtig uit te vragen over de zwendelmogelijkheden. Ze zitten in Griessels kantoor en zetten de telefoon op hands-free. Ze neemt op, nog slaperig. Hij verontschuldigt zich in alle toonaarden, ze zegt dat het echt niet nodig is, normaal gespro-ken is ze veel vroeger op. Maar door het nieuws over de dood van haar vriendin heeft ze beroerd geslapen.

Griessel stelt Cupido telefonisch aan haar voor. Dan zegt hij dat ze nieuwe informatie over de zaak hebben en graag haar mening zou-den willen horen, maar als dit geen goed moment is, hoeft het niet.

Nee, zegt ze. Ze wil dolgraag helpen. Ze wil duidelijkheid. Want het geheim dat Alicia Lewis kennelijk voor haar heeft achtergehouden is een van de dingen waar ze nu van wakker ligt.

Ze vertellen haar, samen, om de beurt, wat er die ochtend is gebeurd. Soms moeten ze vragen of ze er nog is, en dan zegt ze alleen maar 'Ja'.

Wanneer ze alle informatie over hun bezoek aan professor Marius Wilke hebben gegeven, valt er een doodse stilte op de lijn.

'Bent u er nog?' vraagt Cupido.

'Ja.'

Ze wachten. Coutts zegt niets. Cupido is niet goed met stiltes, dus begint hij haar heel voorzichtig te vertellen over hun theorie, over de mogelijkheid van oplichting, specifiek de schatkaartzwendel.

'Nee,' zegt ze heel overtuigd. En dan huilt ze en ze verontschuldigt zich en huilt weer. 'Wacht even,' zegt ze. Ze horen dat ze, in een slaapkamer in Londen, de telefoon ergens op neerlegt en dan is het stil, en dan horen ze haar snuiten, en nog een keer, en dan geritsel als ze de telefoon weer oppakt, en zich opnieuw verontschuldigt.

Dan zegt ze: 'Dit is eigenlijk een hele opluchting. Nu weet ik tenminste waar ze mee bezig was. Als zij geloofde dat de Fabritius echt was, is de kans groot dat hij bestaat. Weet u, die schilders, de schilders uit de barok en de Nederlandse Gouden Eeuw... Ze was een van de echte experts. Vooral wat betreft verloren werk... En... Het is gewoon dat haar relatie met kunst... Ze zou nooit... Ik denk gewoon dat ze het niet zou doen. Ik weet het niet, kapitein, misschien kende ik haar niet zo goed als ik dacht, maar instinctief weet ik dat het geen zwendel was.'

Cupido kan zich niet meer inhouden, hij vraagt of dat echt nog gebeurt, dat er oude, antieke schilderijen gevonden worden die iets waard zijn.

Cathy Coutts maakt een geluid, en ze zegt 'O, ja,' en vertelt hun over het verloren stilleven van Gauguin dat nog geen jaar geleden in de Amerikaanse staat Connecticut is ontdekt. 'Dat is voor meer dan een miljoen dollar verkocht...'

'Maar daar gaat het nou juist om, ma'am,' zegt Cupido. 'Die professor beweert dat de Fabritius voor honderd miljoen dollar verkocht zal worden, en dat is gewoon belachelijk.'

Nee, zegt Coutts weer. In 2014 klom een Fransman naar de vliering van zijn oude huis op het platteland net buiten Toulouse om een lekkende afvoerpijp te repareren, en hij kwam naar beneden met een schilderij dat in 2016 als een meesterwerk van de Italiaanse schilder Caravaggio is erkend. De hele kunstwereld verwacht dat het meer dan honderdtwintig miljoen dollar zal opbrengen. 'Gauguins schilderij van twee Tahitiaanse meisjes is in 2015 verkocht voor zo'n driehonderd miljoen dollar,' zegt ze. 'Les joueurs de cartes van Cézanne ging voor bijna tweehonderdtachtig miljoen. Les femmes d'Alger van Picasso is voor honderdnegenenzeventig miljoen verkocht...'

'Jissis,' zegt Cupido.

'Die Fransoos die dat schilderij op de vliering vond, wie krijgt het geld wanneer het verkocht wordt?' vraagt Griessel.

'De Fransman,' zegt Cathy Coutts. 'Ik weet dat de "verborgen schat op zolder" als een scam klinkt, als een sprookje. Maar het gebeurt. En vaker dan je denkt. Hebben jullie gehoord over die kunstwerken in München?'

'Nee,' zeggen ze in koor.

'In februari 2012 heeft de Duitse politie meer dan dertienhonderd verloren kunstwerken gevonden in een appartement in München. Daar was werk bij van Monet en Renoir en Matisse...'

Die namen klinken hun bekend in de oren. 'Cool,' zegt Cupido, en dan gaat zijn mobiel en ziet hij dat het brigadier Flif Davids is. 'Sorry,' en hij zet zijn telefoon op stil.

Het is alsof Coutts de onderbreking niet heeft gehoord. Ze zegt: 'Dus dit is wat ik... Ik denk dat Alicia... Ik denk, wat er is gebeurd, er is iets op haar bureau terechtgekomen. Iets over de Fabritius. Een soort... aanwijzing. Zoals wanneer een detective... weet je wel. Ik bedoel op een bepaalde manier zijn wij ook detectives. We verzamelen aanwijzingen. We laten vaak andere mensen het onderzoekswerk doen, maar... Ik denk dat ze een soort aanwijzing kreeg, en ik denk dat het een betrouwbare aanwijzing was. Zo betrouwbaar dat ze zelf wilde... Kijk, ze had het er niet graag over, maar haar zusje... Alicia's moeder woont in de vs... Haar moeder is al een tijdje dement, en haar zusje is... laten we zeggen een beetje een ongeleid projectiel. Werkt liever niet te veel, begreep ik. Dus Alicia heeft haar moeder financieel ondersteund, en u weet hoe het is met medische kosten en specialistische zorg, het is bespottelijk duur, ik denk dat Alicia een kans zag om iets na te jagen... iets voor haar persoonlijk... Iets wat veel zou hebben opgeleverd. Ik bedoel, ik heb erover nagedacht, we hebben er allemaal over nagedacht in onze beroepsgroep... Misschien zat ze financieel echt aan de grond...'

'Dus u denkt dat het echt is?'

'De Fabritius? Ik weet het zeker.'

'Waarom?'

'Omdat Alicia een van de drie internationale experts op dat gebied was. En ze was sceptisch en slim en liet zich niet snel om de tuin leiden.'

Ze lopen naar Flif Davids in de imc-ruimte. Als ze binnenkomen, zegt de brigadier: 'Het slechte nieuws is, ik krijg de mail van Alicia Lewis niet geopend. Als we haar foon hadden... Maar op de laptop, ik krijg het niet gekraakt, kappie, ze gebruikt een of ander heavy duty password, dat duurt wel een paar dagen.'

'Shit,' zegt Cupido. 'En het goede nieuws? Vertel me alsjeblieft dat er ook goed nieuws is.'

'Ik weet met wie ze ontbeten heeft maandagochtend.' Heel zelfvoldaan.

'Professor Marius Wilke?'

'Damn, hoe wist je dat?'

'We zijn speurders, Flif, we speuren, dat is onze job. Hoe ben jij erachter gekomen?'

'Het stond in haar agenda, en de mail en telefoon en website stonden in haar contacten. Dus dan weten jullie ook van de privédetective?'

'Wat voor privédetective?'

'Hebben jullie dat dan niet gespeurd, kappie?'

'Wat voor privédetective, brigadier?'

'Het is er een uit Claremont...'

'Claremont. Ons Claremont. Zuidelijke suburbs?'

'Damn straight, kapitein. Ons Claremont.'

'Wie is die privédetective?'

'Billy de Palma.'

Cupido maakt een vreemd geluid, Griessel kijkt naar hem. Hij ziet dat het gezicht van zijn collega verstrakt en verbleekt.

'Ken je hem?' vraagt hij.

'Jirre, Benna,' zegt Cupido met gedempte stem. Dan kijkt Vaughn naar Davids: 'Zeg alsjeblieft dat je een geintje maakt.'

'Ik maak nooit geintjes, kom maar kijken,' en hij wijst naar de MacBook. De rechercheurs komen dichterbij. David wijst naar het scherm. Onder de contacten van Alicia Lewis staat ook Billy de Palma Private Investigations, dan de website, het e-mailadres en een mobiel nummer.

'Wie is Billy de Palma?' vraagt Griessel. Hij kan zien dat Cupido geschokt is.

'Hoe ben je daarachter gekomen?' vraagt Cupido aan Davids.

'Ik kan ook speuren, kappie,' zegt Davids. 'Ik heb gewoon in haar contacten gezocht naar punt za mails en naar landennummers met plus zevenentwintig, en daar was hij. Billy de Palma. En de professor natuurlijk. De enige twee Zuid-Afrikanen in haar database, voor zover ik kan zien.'

'Billy de fokken Palma,' zegt Cupido, met zijn handen om de rand van het bureau, de knokkels wit.

'Wie is Billy de Palma?' vraagt Griessel weer heel geduldig.

'Dat is de man die Alicia Lewis heeft doodgeslagen, Benna.' Cupido loopt naar de deur, blijft staan en komt terug. 'Het is een fokken psychopaat, neem dat van me aan. Ik denk dat we naar majoor Mbali moeten. Nu.'

12

Griessel weet met moeite Cupido te kalmeren en vraagt: 'Wie is die vent?'

'Misschien ken je hem, Benna, maar Billy de Palma is niet zijn echte naam. Zo noemt hij alleen maar zijn company: Billy de Palma Private Investigations. Dat is camouflage. Weet je nog die ANC hotshot, ex-afgevaardigde van de West-Kaap die ze hadden opgepakt voor rijden onder invloed, zeven, acht jaar geleden, de man die bijna het blaastestrecord voor dronkenschap had gebroken, hij reed in een Porsche Cayenne, lekker van onze belastingcenten...'

'Tony nog wat.'

'Dat is hem. Tony Dimaza. Weet je nog dat ze het bewijsmateriaal voor rijden onder invloed kwijtgeraakt waren, hier op het SAPS-bureau in Kaapstad?'

'Vaag.' Want het was in de tijd dat Griessel zelf meestal beneveld was.

'Alle vingers wezen naar een rechercheur Martin Fillis, ooit van gehoord?'

'Komt me bekend voor...'

'Martin Reginald Fillis. Een stuk verdriet. Een stuk shit. Narcist, psycho, echt een klootzak. Ik ken hem al lang, ik zat bij Drugs, nog nat achter de oren, hij was mijn baas, hij was toen al inspecteur. Ik mocht hem gelijk al niet. Creepy, ik weet het niet, hij heeft van die ogen, Benna, daar zit geen leven in. En iedereen zegt, kijk uit met die man, hij is groot, een soort martialartsexpert die in het weekend aan van die kooigevechten doet. Anyway, in die tijd kwam er een prostituee in Seepunt een klacht indienen, bont en blauw, een of andere sick fuck had haar echt zwaar te pakken genomen, en ze zei dat ze er een zaak van wilde maken, het was Fillis die haar zo geslagen had toen ze hem geen freebie wou geven. Hoe kun je een arme vrouw zo slaan?'

Griessel ziet dat Cupido zich dingen herinnert waar hij nog steeds geschokt over is, maar dan schudt hij het af en zegt: 'Anyway, Fillis had toen een alibi, één van zijn burgerbuddy's zwoer bij hoog en bij laag dat ze samen waren. Er is toen niks gebeurd, maar een hoop van ons wisten dat hij het was... En een paar jaar later was Fillis rechercheur op bureau Caledonplein, en toen was er dat gedoe met Tony Dimaza. Bewijs van rijden onder invloed raakte zomaar weg, Fillis was de main suspect. Iemand had hem gezien in de bewijskamer, hij kon het deposito van twintigduizend rand op zijn bankrekening niet verklaren, op zijn telefoon was te zien dat hij een telefoontje had gehad van Dimaza twee dagen voordat het bewijs zoekraakte... Toen was er een onderzoek en moest hij voor de tuchtraad komen, ik denk dat de Dienst echt van hem af wilde, en hij wist dat hij er niet mee wegkwam, dus heeft hij ze allemaal de embarrassment bespaard en ontslag genomen. En is als privédetective begonnen. En omdat hij zich schaamde voor zijn gekleurde achternaam waar niks mee mis is, en omdat hij bang was dat zijn corrupte reputatie hem zou inhalen, en zeker om fancy en wit en Europees te klinken, noemde hij zijn company Billy de Palma Private Investigations. Hij kon hier in de Kaap geen vergunning krijgen, ze zeiden dat hij er maar een moest gaan halen bij zijn corrupte politieke buddy's in de Vrijstaat.'

'Oké,' zegt Griessel. 'Maar hoe weten we dat hij degene was die Alicia Lewis heeft vermoord?'

'Number one: een klap met een pijp, Benna. Een verschrikkelijke klap. Daar is een grote man voor nodig, een sterke, snelle man. Een man die kan slaan, want hij heeft jarenlang aan martial arts gedaan. Number two: lichaam gewassen met bleek. Dat wijst op een man die iets van forensisch onderzoek weet, van DNA en bloed en chemicaliën. Zoals een man die rechercheur bij de SAPS is geweest. Number three: zijn naam staat bij de contacten van Alicia Lewis. Het enige detectivebureau dat die eer heeft. Number four: wat doe je als professor Donald Duck je negen namen stuurt van mogelijke eigenaren van een heel duur schilderij, maar je zit zelf in Londen en je wilt die negen mensen opsporen? Dan zoek je een private eye. Je gaat googelen naar privédetectives, en je neemt contact op met de eerste de beste die betrouwbaar lijkt en je zegt, ga die mensen voor me zoeken. En dat heeft hij gedaan. Hij heeft de negen voor haar gevonden, en hij heeft degene met het schilderij gepinpoint en daarom heeft ze haar job opgezegd en is ze naar de Kaap gekomen. Number five: ik kan je wel vertellen, als Martin Fillis dat schilderij gevonden heeft, zal hij geen seconde aarzelen. Hij vermoordt haar in cold blood, en hij gaat proberen dat schilderij te verpatsen. Ik heb die man in de ogen gekeken, en ik zal je vertellen, het is een killer. Maar het is number six, Benna, wat voor mij de doorslag geeft. Wat deed prof Donald Duck, zodra hij wist dat Alicia Lewis vermoord was? Hij deed wat iedere normale, onschuldige, fatsoenlijke burger zou hebben gedaan: hij belde ons. En Martin Fillis? Je gaat me niet vertellen dat hij niks van de moord wist. Het is op radio en tv en internet, het staat uitgebreid in alle bladen, het staat met vette koppen in elke krant, het stond op de voorpagina van *Die Son*, for God's sake, Martin Fillis leest vast *Die Son*, elke dag, reken maar. Dus zo weten we dat hij onze man is, Benna. Kom, we moeten naar majoor Mbali want we zullen heel clever moeten zijn met deze psycho. Hij kent alle trucs van de detectivebusiness, hij heeft vanaf maandag al heel wat tijd gehad om zijn sporen te wissen, hij heeft waarschijnlijk al advocaten in de arm genomen, en een alibi klaar. We zullen alle hulp die we kunnen krijgen nodig hebben.'

Ondanks Griessels onbestemde vraagtekens bij Cupido's zekerheid doen ze hun huiswerk, ze bespreken hun theorie en trekken hun plan.

En te midden van dit alles belt John Cloete naar Bennie met de mededeling dat er een halfuur geleden een artikel is verschenen op de website van de Engelse *The Guardian* waarin Alicia Lewis beschreven wordt als een van de belangrijke internationale experts op het gebied van de Hollandse meesters. De schrijver van het artikel vraagt zich ook af waarom Lewis zo onverwacht ontslag heeft genomen bij Restore, en waarom ze naar het 'gevaarlijke Zuid-Afrika' is gegaan voor een vakantie, zo kort nadat ze ontslag had genomen.

'Nu is de hele wereld op zoek naar commentaar, Bennie. Hebben jullie iets?'

'Het onderzoek verkeert in een gevoelig stadium,' zegt Griessel. Cloete zucht. Hij is de geduldigste man die Bennie kent.

Ze bellen eerst en rijden dan naar Oakglen in Bellville, waar Mbali Kaleni in een nieuwbouwhuisje woont. Ze ontvangt hen bij het hek, met modderige tuinhandschoenen aan, een breedgerande hoed op het hoofd en een zonnebril op; ze ruikt naar verse aarde en parfum. 'Ik ben bezig een koolpalm te planten,' zegt ze.

Onder normale omstandigheden zou op Cupido's gezicht te lezen zijn dat hij dit grappig vindt, of irritant, afhankelijk van zijn stemming, want Griessel vermoedt dat ze geen van beiden ooit aan hun Zoeloe-chef hebben gedacht als een ervaren – en overdreven uitgedoste – tuinier op een zaterdagochtend. Maar Vaughn is ernstig en hij zegt: 'Bedankt dat u ons wilt ontvangen, majoor. We hebben onze man, maar we hebben uw hulp nodig.'

Ze vraagt hen binnen. Ze biedt groene thee aan, of ijswater met komkommer en citroen, maar ze zeggen, dank u wel, nee, dat hoeft niet.

Cupido vertelt haar alles wat ze weten. Ze luistert aandachtig en als hij klaar is, fronst ze haar beroemde frons en vraagt: 'Maar waarom zou die mevrouw Lewis hem uitkiezen, deze Fillis?'

'Dat vroegen we ons ook af, majoor,' zegt Cupido. 'Dus we hebben een test gedaan. We hebben gegoogeld op de woorden "Cape Town Private Investigator". Zijn firma, Billy de Palma Investigations, kwam helemaal boven aan de zoekresultaten, naast een klein groen logo met "Adv.". Volgens brigadier Davids is dat omdat Fillis die zoektermen van Google koopt, het heet Adwords. En we hebben ook naar de website gekeken. Die is heel professioneel. Grote foto van hem, hij is een grote, aantrekkelijke man, zo leidt hij veel mensen om de tuin; hij ziet er echt betrouwbaar uit op een foto. En op de website staat dat hij een voormalige rechercheur van de SAPS is. Dus zal ze gedacht hebben dat hij de volmaakte man voor de job was.'

'Ik snap het,' zegt Kaleni. 'Oké. Wat verwachten jullie van mij?'

'Hij is slim en geslepen, dus we willen hem heel hard aanpakken, majoor. We willen niet dat hij weet dat we eraan komen. We willen hem op het bureau verhoren, maar we willen het zo doen dat hij niet de kans krijgt zijn advocaat te bereiken. We zullen back-up nodig hebben, het is een gewelddadige man, en hij is groot. We willen de verhoren opnemen, we willen dat zijn leugens vanaf het begin worden vastgelegd. We willen een huiszoekingsbevel voor zijn kantoor en zijn huis, we willen een 205 voor zijn gsm-gegevens, we willen dat Philip en zijn team een spinnenweb doen.'

Een dagvaarding volgens artikel 205 van de strafproceswet dwingt mobiele providers om de Valken de volledige belgegevens van Martin Fillis te verschaffen. Kapitein Philip van Wyk en zijn team bij IMC gebruiken dan speciale programmatuur om alle telefoongesprekken met elkaar te verbinden: het zogenaamde spinnenweb dat laat zien met wie Fillis contact kan hebben gehad.

Kaleni schudt haar hoofd. 'Ik ben gebeld door kapitein Cloete...'

Griessel ziet Cupido inzakken. Want als de majoor weet hoe groot en internationaal de mediabelangstelling is, wordt ze nog conservatiever en voorzichtiger dan gewoonlijk.

'We zullen heel zorgvuldig te werk moeten gaan.'

'Ja, majoor.'

'Jullie hebben niet genoeg aanwijzingen voor een huiszoekingsbevel.'

Ze wisten het, maar ze kennen Kaleni ook. Achter de frons zit onwrikbare loyaliteit en een behoefte om haar mensen te steunen. Geef haar iets om 'nee' tegen te zeggen, dan is de kans groot dat ze andere verzoeken zal inwilligen.

'Oké,' zegt Cupido met gespeelde teleurstelling.

'Maar ik zal de 205-aanvraag tekenen. En we zorgen voor geuniformeerde back-up bij de arrestatie.'

'Dank u, majoor.'

Ze willen Fillis alleen en in het openbaar ontmoeten. Daarom belt Cupido het mobiele nummer op de website van Billy de

Palma Private Investigations en wanneer er wordt opgenomen, herkent Cupido de stem. Hij knikt naar Bennie en geeft hem de telefoon.

Griessel stelt zich voor als 'Ben Barnard', en zegt om de haverklap 'meneer De Palma', hij probeert verslagen en wanhopig te klinken, hij zegt dat hij hem dringend moet zien, want hij weet zeker dat zijn vrouw hem ontrouw is, en ze gaat vanavond uit en iemand moet haar volgen, alstublieft, 'het maakt me niet uit wat het kost, alstublieft, kan ik u in de Spur ontmoeten, er is toch een Spur vlak bij uw kantoor, aan Cavendish Square, daar kan ik u ontmoeten, dan geef ik u cash, zeg maar hoeveel u nodig hebt.'

En dan houden ze hun adem in om te horen wat hij zegt.

De cash die Griessel aanbiedt is het lokkertje, voor het geval Fillis op een zaterdagochtend geen zin zou hebben om klanten te zien. Want cash hoeft niet in de boeken, daar hoef je geen btw en inkomstenbelasting over te betalen.

Ze wachten. Fillis zucht en zegt dan: 'Oké. Kom om halfeen, ik zit in het rokersgedeelte, in een rugbyshirt van de Stormers.'

13

Majoor Mbali Kaleni belt de bureauchef van de SAPS in Claremont, die alles uit de kast moet halen, want het is halverwege de zaterdag, en de meesten van zijn uniformen beginnen pas aan het eind van de middag hun dienst om bij de gewone ongeregeldheden van de zaterdagavond op te treden, hij kan maar vier mensen missen.

Griessel en Cupido treffen hen voor de Rodeo Spur Steak Ranch om 12.33 uur, Griessel gaat als eerste naar binnen om er zeker van te zijn dat Fillis er al is. Rond deze tijd op een zaterdag is het restaurant één gillende, kleurrijke meute van minstens drie kinderpartijtjes. Hij ziet Fillis in het rokersgedeelte zitten, in een Stormers-shirt zoals hij had beloofd, het lelijke felle geel en rood van de sponsor van het rugbyteam valt onmiddellijk op. Hij draait zich om en gaat Cupido en de uniformen halen. Ze marcheren tussen de kinderen door. Fillis ziet hen aankomen, en wanneer hij Cupido herkent, verraadt zijn gezicht dat hij beseft dat de optocht naar hem op weg is. Op het moment dat zijn ogen heel even naar de deur flitsen, zijn enige ontsnappingsroute, weten ze zeker dat hij hun schuldige is.

Vlak voordat ze bij zijn tafel zijn, staat Fillis op. Zijn ogen zijn op Cupido gericht, zijn mond staat venijnig: 'Hallo Vaughn. Nog steeds de grootste windbuil van de Valken?'

Griessel ziet hoe groot Fillis is, het rugbyshirt spant om de krachtige schouders.

'Martin Reginald Fillis, we hebben reden om aan te nemen dat u inlichtingen kunt verschaffen omtrent de moord op Alicia Lewis.'

Geen reactie.

'We hebben reden om aan te nemen dat uw telefoon bewijzen bevat die u aan Lewis zullen koppelen. Kunt u hem overhandigen, alstublieft?'

Fillis kijkt schattend naar de uniformen, een van hen met boeien in zijn hand. Hij kijkt naar Griessel en Cupido. 'Fuck you, Vaughn.'

'Ik zal u nog één keer vragen uw mobiele telefoon te overhandigen,' zegt Griessel. 'Of gaat het verzet bij aanhouding worden?'

Het hele restaurant kijkt nu naar hen. Fillis steekt na enig wikken en wegen heel langzaam zijn hand in zijn zak en haalt de telefoon eruit. Bennie houdt een plastic bewijszakje open. Fillis laat de telefoon erin vallen.

In de auto op weg naar de kantoren van de DPCI zeggen de rechercheurs meer dan een halfuur lang niets. Fillis zit achterin. Hij doet maar één keer zijn mond open om te vragen: 'Ben jij niet die Bennie Griessel van de Valken die zo zuipt?' Als hij geen reactie krijgt, steekt hij een sigaret op en blaast de rook door het metalen rooster tussen hen in. Ze weten dat hij hen wil uitlokken. Ze negeren het. Fillis staart uit het raampje, en wrijft over de getrimde lijnen van zijn sikje.

Wanneer ze uitstappen is er een moment waarop Fillis zijn arm uit Griessels greep wegrukt en Cupido naar zijn dienstwapen en zijn boeien grijpt, maar dan ontspant Fillis en loopt tussen hen in door de lange, zaterdagstille, donkere gangen van het gebouw van de Valken. Tot in de verhoorkamer, waar iedereen gaat zitten, ieder op zijn plek.

'Fuck you,' schiet Fillis een openingssalvo. 'Ik praat niet zonder mijn advocaat.'

Ze wisten dat hij dat zou zeggen.

'Je kunt zonder je advocaat met ons praten, of jij en je advocaat kunnen samen met de media praten,' zegt Griessel.

Fillis grijnst en schudt zijn hoofd. 'Jirre, Vaughn, je bent nog stommer dan ik me herinner. Dit was jullie beste plan? Stuur me met een briljante smoes naar de Spur en dan doe ik het in mijn broek waar al die koters bij zijn en beken alles. Is dit het beste wat jullie Valken kunnen bedenken? Really?'

'Wat bekennen, Martin?'

'Wat dan ook.'

'Waar was je maandag, Martin?' vraagt Griessel.

'Vraag maar aan mijn advocaat.' Fillis haalt zijn sigaretten te-voorschijn en steekt er een op hoewel er geen asbak op tafel staat.

Griessel weet dat het een gebaar is. Tactiek. Hij negeert het. 'Waar was je maandag, Martin?'

'Vraag maar aan mijn advocaat. En go fuck yourself.'

'Laat me je ons beste plan vertellen, Martin,' zegt Griessel. 'Ons beste plan is jou de kans geven om ons alles te vertellen. En als je dat niet wilt, dan zeggen we tegen de media dat jij verdachte num-mer een bent...'

'Billy de Palma. Schaam je je voor je kleurtje, Martin?' vraagt Cupido.

Geen antwoord.

'You see, Billy-boy,' zegt Cupido. 'We weten hoe precious je Billy de Palma-merk is. We weten van je Google AdWords. We weten dat je zwaar hebt geïnvesteerd om de nummer één agency te zijn, als iemand op internet een privédetective in de Kaap zoekt. Dus dit is ons beste plan: we laten de kranten en nieuwssites alle-maal een paar artikeltjes over jou en je agency schrijven, en dat je misschien wel of misschien niet betrokken bent bij de moord op Alicia Lewis...'

'*The Guardian* schrijft al over de zaak,' zegt Griessel.

'Dat is een grote Britse krant,' zegt Cupido.

'Ik weet wat *The Guardian* is.' Geïrriteerd.

'Dan weet je ook wat mogelijke klanten zullen vinden, als ze volgende week op Google naar een privédetective in de Kaap zoeken,' zegt Griessel.

'Of volgend jaar,' zegt Cupido. 'Of over twee jaar, dat is het probleem met dat damn internet, Billy-boy, al die info gaat niet weg. Hij blijft je achtervolgen.'

'Dan zien ze jouw AdWords op dezelfde pagina als de links naar artikelen waarin gezegd wordt dat je misschien wel of misschien niet een moordenaar bent,' zegt Griessel.

'En we zullen de media over je verleden vertellen, en dat zetten ze er ook bij, ze zijn dol op die shit. En dan bellen ze niet meer, Billy-boy, al die klanten met ontrouwe echtgenoten,' zegt Cupido.

'Al dat AdWords-geld verspild,' zegt Griessel.

'Je zult een nieuwe job moeten zoeken, want je agency is zo dood als een dodo. Maar horror of horrors, Billy-boy, mensen zullen weten dat je een oplichter bent. Een boef. Niks waard, tweederangs, corrupte ex-cop, mepper van prostituees, moordenaar van weerloze vrouwen.'

En dit is hun beste plan, hun gok: dat Fillis zal beseffen dat hij hun iets moet geven als hij de naam van zijn agentschap uit de media wil houden. Ze hebben geen idee of het zal werken, maar Cupido is er vast van overtuigd dat narcisten heel erg bang zijn om in het openbaar vernederd te worden.

Ze houden hem met argusogen in de gaten, ze wachten. Hij zit als een sfinx te staren naar het glas van het observatieraam.

Eindelijk: 'Ik weet niet waar jullie het over hebben.'

Cupido snuift geamuseerd. 'We zijn op dit moment bezig je mobiel te plotten. We hebben een 205 gekregen, we gaan al je oproepen traceren. Wat ga je dan zeggen, als we kunnen bewijzen dat je contact hebt gehad met Lewis?'

Geen antwoord.

'Het is een kwestie van tijd voordat we haar mail open hebben... Help jezelf. Vertel maar, waar was je maandag?' vraagt Griessel.

Lange stilte voordat Fillis zegt: 'Dan moet ik in mijn agenda kijken. Geef me mijn telefoon.'

Griessel schudt zijn hoofd. 'Je weet precies waar je maandag was.'

Fillis vouwt zijn armen voor zijn borst.

'Jij je zin,' zegt Cupido. 'Benna, bel de persvoorlichter.'

Griessel haalt zijn telefoon tevoorschijn en belt Cloete. De voorlichter neemt snel op. Griessel zet de telefoon op speaker: 'John, we staan op het punt een arrestatie te verrichten, je kunt de media laten weten dat de verdachte Martin Reginald...'

'Oké,' zegt Fillis, scherp en haastig.

'Wat zei je?' vraagt Cupido.

'Oké, ik zal praten.'

'Zonder je advocaat?'

Fillis knikt, rug recht, nek stijf, een man die zich verbeten aan zijn waardigheid vastklampt.

'Het spijt me, John, ik was te voorbarig, geloof ik,' zegt Griessel en hij drukt de oproep weg.

14

Fillis zweert bij hoog en bij laag dat hij geen contact heeft gehad met Alicia Lewis, zondag niet en maandag niet. Hij heeft haar nooit van zijn leven persoonlijk ontmoet. Het laatste wat hij van haar hoorde, was meer dan twee maanden geleden.

'Dus we plotten je telefoon en daaruit zal blijken dat je niet bij haar in de buurt bent geweest, maandag?'

'Ik weet niet waar ze maandag was.'

'Begin bij het begin,' zegt Griessel. 'Wanneer heeft ze contact met je opgenomen?'

Fillis vertelt zijn verhaal met ontwijkende blik en agressieve korte zinnen. Hij zegt dat hij in november vorig jaar onverwacht een mail van haar kreeg. Daarin vroeg ze hem eerst om te bevestigen dat een van zijn specialiteiten het opsporen van mensen is, zoals zijn website belooft. Daar had hij 'ja' op geantwoord. In een volgende mail vroeg ze of hij ook bereid zou zijn om een vermist voorwerp te helpen opsporen, dat mogelijk in het bezit kon zijn van één van een lijst van negen mensen. Toen had hij laten weten dat zijn expertise ook dát omvatte. Alicia Lewis had hem de volgende dag uit Londen gebeld en persoonlijk met hem gesproken, een verkennend gesprek over zijn achtergrond en zijn tarieven, hij denkt dat het was om hem in te schatten. Kennelijk was ze tevreden, want daarna stuurde ze hem een contract met een uitgebreide geheimhoudingsclausule. Hij had het getekend en teruggestuurd, en toen kwamen de negen namen.

'Toen wist je al wie ze was,' zegt Cupido.

'Hoe moest ik dat weten, Vaughn?' Geïrriteerd over de insinuatie.

'Ik ken je, Billy-boy. Je had haar tegen die tijd vast allang gegoogeld. Je wist dat die tante met heavy duty paintings werkt, als zij iets zoekt, is het groot geld. Toen rook je al kansen...'

Fillis vloekt tegen Cupido, Cupido maakt een snuivend geluid en ze harrewarren over de juistheid van Cupido's stelling tot Griessel zegt: 'En toen heb je die mensen opgespoord?'

'Natuurlijk heb ik ze opgespoord. Ik ben de beste privédetective van het land.'

'Nooit je eigen reclame geloven, Billy-boy. En wie had het schilderij?'

'De boer in Villiersdorp.'

Ze spitsen hun oren, hun pols versnelt, maar ze zijn te ervaren om Fillis te laten zien dat ze er opgewonden van raken.

'Wat voor boer in Villiersdorp?'

'Vermeulen. Willem Vermeulen. Senior.'

'Hoe weet je dat, Billy-boy? Hoe weet je dat?'

'Ik heb het Willem Vermeulen Junior gevraagd. Hij zei ja, hij had dat schilderij weleens gezien, en toen ik vroeg waar, zei hij dat het me niets aanging.'

'Maar hoe kon hij zien wat voor schilderij je zocht?'

'Ik heb hem een foto laten zien.'

'Wat voor foto?'

'Die Lewis me had gestuurd.'

'Een foto?'

'Ben je doof?'

'Waarom heb je daarnet niet gezegd dat ze een foto had gestuurd?'

'Jullie gaven me de kans niet.' Met het grijnsje van een kleine overwinning.

'Als je spelletjes wilt spelen, Billy-boy, dat kunnen wij ook. Benna, ik zei het al, hij is een piece of shit. Laten we de media bellen, dan hebben we dat gehad. Hij gaat de hele tijd proberen zich eruit te draaien.'

'Het was maar een klein stukje van het schilderij,' zegt Fillis geïrriteerd. 'Ze stuurde eerst de negen namen. Ik heb er acht gevonden. Eén vrouw was overleden, augustus vorig jaar in Pretoria, maar dat deed er uiteindelijk niet toe. Ik heb haar die acht adressen gestuurd. Toen mailde ze de foto van het schilderij. Alleen een stukje van het hele schilderij, bleek later. Van het gezicht van de vrouw. "The woman in the cape".'

'De Cape? Wat bedoel je? Zoals in Cape Town?'
'Nee, een cape, zoals bij Superman.'

Griessel vraagt waar de foto is en Fillis zegt in de mail op zijn telefoon. Griessel haalt de telefoon van de privédetective uit zijn zak en navigeert volgens de instructies van Fillis naar Gmail, naar de juiste map en de juiste mail. En dan zien ze een stukje van een schilderij, het hoofd en de schouders van een vrouw. Ze kijkt hen recht aan met donkerbruine ogen, ze glimlacht niet, maar het lijkt alsof haar mond op het punt staat dat te doen. Er is een zachtheid in haar blik, een mededogen, een weten. Ze blijven gebiologeerd naar haar kijken, de mooie rode lippen, de neus die niet verfijnd is, maar wel klopt met het gezicht, de gladde, bleke huid, de lichtbruine haren die zijn weggetrokken van haar gezicht, misschien omdat ze dreigen een waterval van krullen te vormen. Een aantrekkelijke vrouw.

Maar het voorwerp dat Bennie Griessel de woorden ontlokt, is de mantel om haar schouders. Op dit fragment van het schilderij lijkt het alsof de mantel het enige kledingstuk is dat ze aanheeft. Maar het is de kleur die hem inspireert.

'De vrouw in het blauw,' zegt hij.

'Precies,' zegt Cupido.

'Wat?' vraagt Fillis.

Cupido's telefoon gaat. 'Gaat je geen bal aan, Billy-boy,' zegt hij terwijl hij de telefoon uit zijn zak haalt. Hij kent het nummer niet, hij neemt op, luistert en zegt: 'Oké, oké. Welke weg is dat? Oké, bedankt, bel de PCSI alsjeblieft.' Hij beëindigt het telefoontje en zegt tegen Griessel: 'Bureau Grabouw heeft haar auto gevonden. De rental. Op de berg achter Grabouw, onderweg naar Villiersdorp. Stinkt een uur in de wind naar chloor. Nu hebben we je, Billy-boy. Nu hebben we je te pakken.'

Ze bellen majoor Mbali Kaleni en zeggen dat ze genoeg hebben voor een huiszoekingsbevel voor het kantoor en het huis van Fillis. Ze vragen om versterking. Ze vragen specifiek om de kapiteins 'Mooiwillem' Liebenberg en Frankie Fillander om het verhoor van Martin Fillis voort te zetten. Want die twee hebben ook weekenddienst en zijn altijd bereidwillig, en ze weten dat het Fillis-de-narcist ongelooflijk zal irriteren als een aantrekkelijke man als Liebenberg – een man die bekendstaat als de George Clooney van de Valken – zijn tijd komt zitten verspillen. En 'Ome' Frank Fillander is van het team Ernstige Delicten degene met de meeste ervaring en mensenkennis.

Het kost bijna een uur om Liebenberg en Fillander volledig bij te praten over de zaak. Ze vragen hun twee collega's ook om het verhoor van Fillis zo lang mogelijk te rekken, terwijl zij naar een boerderij in Villiersdorp gaan.

Dan rijden Griessel en Cupido de N2 op, over Sir Lowry's Pass, en door Grabouw. Ze bellen Jimmy, de lange magere van de PCSI, voor aanwijzingen waar de gehuurde Toyota van Alicia Lewis is gevonden.

'Je neemt vanuit Grabouw de R321, en rijdt richting Theewaterskloofmeer, zo'n twaalf kilometer. Het hek is rechts aan de kant van de berg, er staat een pick-up van de SAPS met twee agenten.'

Ze zien niets van het adembenemende natuurschoon, niets van de blauwe waterreservoirs van de boerderijen, de diepgroene dennenbossen en grijze rotsformaties van de ruwe bergen. Ze praten en denken over de zaak, zoeken de politiewagen, vinden hem en slaan af. Het is het hek van een boerderij, met een klein bordje, half verborgen achter plantengroei, met GROENLANDBERG NATURE RESERVE. VERBODEN TOEGANG.

De agenten zeggen dat ze hebben gereageerd nadat een parkwachter van het reservaat het politiebureau in Grabouw had gebeld over de Toyota die daar staat.

'Was dit hek afgesloten?' vraagt Griessel.

'Nee, kapitein, het was niet afgesloten.'

'Is Forensisch er al?'

'Ja, kapitein, honderd meter verderop.'

Ze lopen over een ruw, onverhard weggetje dat de berg op kronkelt. Eerst zien ze het witte busje van Forensisch, en dan de grijze gehuurde Toyota van Alicia Lewis. De portieren, achterbak en motorkap staan open. Dik en Dun van Forensisch zijn daar bezig, ze zien de rechercheurs aankomen en lopen hen tegemoet. Ze zitten vol met hun gebruikelijke kwinkslagen, en mopperen omdat ze de rugbywedstrijd van de Stormers tegen de Cheetahs zullen missen.

Arnold, de korte dikke, zegt dat alle vingerafdrukken op de Toyota van voor naar achter zijn weggepoetst, en het interieur zo grondig met bleekmiddel is schoongemaakt dat het gaten in de matten en de bekleding heeft gevreten. Hij had zelf de forensische sporen niet grondiger kunnen uitwissen.

'Zie je wel?' zegt Cupido. 'Het is een gast die wist wat hem te doen stond.'

De boerderij heet Eden. De mooie oude hoeve ligt hoog tegen de berg ten oosten van het dorp, het uitzicht over het Theewaterskloofmeer is overweldigend.

Als ze voor de deur stoppen, komen er drie grote honden blaffend van de veranda en begeleiden hen kwispelend naar de open voordeur. Ze bellen aan en horen het geluid van rugbycommentaar diep in het huis. Eindelijk klinken er zware voetstappen op de houten vloer en verschijnt er een man in de vestibule, een grote man van een jaar of veertig met forse onderarmen en enorme handen.

'Goedemiddag,' zegt hij. 'Wat kan ik voor u doen?'

'We zijn van de politie. De Valken. We zijn hier vanwege het schilderij,' zegt Griessel.

De man in zijn donkere joggingpak en sneakers verstijft. Hij kijkt hen uitdrukkingsloos aan. Dan zucht hij, alsof hij opgelucht is. Hij steekt een grote hand uit. 'Junior Vermeulen.'

Ze schudden zijn hand en stellen zich voor. Griessel zegt: 'We zijn eigenlijk op zoek naar Willem Vermeulen Senior.'

'Dat is mijn vader. Maar nee, jullie moeten mij hebben. Als het over het schilderij gaat, moeten jullie mij hebben.'

Hij vraagt ze binnen en roept dieper het huis in: 'Hier zijn mensen, vrouw, zet die tv maar uit, de Stormers gaan toch verliezen,' en hij loopt voor hen uit door de gang, waar volle boekenkasten tot aan het plafond reiken, naar een formele salon waar ze op grote, ouderwetse stoelen gaan zitten. Het geluid van de tv gaat uit, er komen lichtere voetstappen aan. De vrouw is mollig en mooi, met diepe kuiltjes in haar wangen als ze lacht, ze grijpt naar haar haar en zegt: 'Sorry, we verwachtten geen bezoek, ik ben Minnie.'

'Ze komen vanwege het schilderij,' zegt haar man.

'Dat werd tijd,' zegt ze. 'Wat wilt u drinken?'

Het duurt even voordat de bestellingen zijn geplaatst, de drie mannen weer zijn gaan zitten en Junior Vermeulen vraagt: 'Hebt u nieuws?'

Op die vraag hadden ze niet gerekend. Cupido vraagt: 'Hoe bedoelt u?'

'Nou, als u hier bent, hebt u toch zeker nieuws, neem ik aan?'

'Nieuws waarover, meneer Vermeulen?'

'Over het schilderij. Daarom bent u hier toch?'

'We zijn hier vanwege Alicia Lewis.'

'O?'

'U kent Alicia Lewis?'

'Ja, ja, ze was hier maandag,' een beetje ongeduldig. 'Wat is er nu weer met haar?'

Ze kijken elkaar aan, en weer terug naar hem. 'Ze is dood, meneer Vermeulen,' zegt Griessel.

'O, heremetijd,' zegt de boer. 'Hoe?'

'Hebt u het nieuws niet gezien, meneer Vermeulen?'

'Nee, dat kijk ik niet meer. Het is elke dag hetzelfde slechte nieuws. Hoe is ze overleden?'

'Ze is maandag vermoord...'

'O, heremetijd!' Vermeulen springt meteen op, zodat de rechercheurs schrikken en naar hun dienstwapen grijpen. Dan draait hij hun de rug toe en roept vanaf de deur naar de keuken: 'Vrouw, ze zeggen dat die Lewis-vrouw dood is. Maandag nog wel. Vermoord.'

'Nee!' roept Minnie Vermeulen terug, en dan klinken haar haastige voetstappen als ze naar hen toe loopt. Ze vraagt hoe en waar Alicia Lewis vermoord is, er klinkt verdriet en verwarring door in haar stem, haar man probeert haar te sussen en te kalmeren, ze huilt een beetje, ze zegt: 'Die arme vrouw, en het is mijn schuld, het is mijn schuld'. Haar man troost haar en zegt: 'Nee, nee, dat is niet waar,' en uiteindelijk zegt Griessel tegen allebei: 'Kom alstublieft zitten.'

Vermeulen zegt: 'Vrouw, ik denk dat het beter is dat de waarheid nu uitkomt.'

'Ja,' zegt ze zacht.

'Komt u met ons mee?' vraagt hij.

'Waarheen?'

'Ik wil u het schilderij laten zien.'

15

12 oktober

Ze zijn maar een paar honderd stappen achter hem, de vier. Alsof ze demonen zijn, ze worden niet moe.

Hij loopt Delft binnen, even na tienen, hij is niet zeker van de tijd, hij wil over de Oude Langendijk naar de Groote Markt, misschien kan hij daar aan hen ontkomen, als zijn benen het houden en hij genoeg adem heeft, hij kan niet meer, het is nu of nooit, ze zijn te dichtbij, ze zijn met z'n vieren, ze worden niet moe. Voor het eerst raakt hij bevangen door paniek, zijn adem jaagt steeds sneller, hij ziet hoe ze de dolken in hem zullen steken, hoe zijn bloed zal spatten en spuiten als dat van een geslacht schaap. Hij wil schreeuwen, hij begint te rennen, dat moet hij niet doen, het is te vroeg, hij moet zijn krachten sparen, hij moet wachten tot hij in de menigte op de Groote Markt is, hij heeft nog een kleine voorsprong, maar de angst overmant hem, verdooft zijn zinnen. Hij kijkt om, ze rennen ook, een mes flitst in de felle zon, 'Here, help,' hij weet niet of het woordloos in zijn hoofd is, of gillend over zijn lippen komt, dit is hoe het zal eindigen, in Delft, in de Doelenstraat in Delft, hij heeft geen band met die plek, hij zal als vreemdeling creperen, ze zullen hem in een anoniem graf ergens begraven, niemand zal van hem weten...

Een onzichtbare hand tilt hem op. Hij ziet zijn voeten van de grond komen, en op dat ogenblik denkt hij: ik ben dood, ik zweef. De hand slaat hem verschrikkelijk hard tegen de muur van een huis, een donderslag die de pijn door zijn oren laat schieten, hij roept weer de Heer aan, hij hoort de ribben breken, dat is het enige wat hij kan horen, zijn eigen botten die breken, alles donker, alles donker, hij voelt de pijn, zijn borstkas, zijn hoofd, zijn oren.

Iets boven op hem, hij doet verschrikt zijn ogen open, alleen zijn rechterhand kan bewegen, hij veegt over zijn ogen, er zit bloed aan zijn hand. Hebben ze hem toch te pakken gekregen?

De muur, het is de muur die op hem ligt, hij beweegt zich, het doet pijn, maar hij kan zich bewegen, hij kan de stukken muur van zich af duwen. Waarom is hij doof? Hij komt overeind, hij wil zien waar ze zijn. Pijn schiet door zijn zij, zijn ribben.

Hij ziet dat alles kapot is, hij ziet de huizen branden, hij ziet dat de vier die achter hem aan zaten weg zijn, helemaal weg, alsof de Hand van Boven hen heeft gepakt.

En dan ziet hij het blauw, tussen de kleurloosheid van de balken en de stenen en de rommel en het roet. De felle, felle blauwe vlek.

Hij strompelt erheen, een stukje kleur, een stukje leven.

Hij raapt het voorzichtig op. Hij ziet de vrouw. Hij snakt naar adem.

16

Het beneemt hun de adem.

Tegen een wittige achtergrond waarvan de textuur zo natuur-getrouw is weergegeven dat je hem kunt aanraken, staat de vrouw, dezelfde vrouw, precies dezelfde als die op de foto van Fillis. Maar nu kunnen ze haar van top tot teen zien. Onder de blauwe mantel heeft ze niets aan. Haar voeten staan in het water van een beekje of een fontein of een bad, ze houdt haar mantel met twee handen zo vast dat haar borsten en schaamstreek bedekt zijn. Haar ronde buik, alsof ze zwanger is, en haar sterke benen zijn zichtbaar, vanaf hoog boven de knie. En dat gezicht, die ogen, vol mededogen en geheimen.

Dat alles in magisch licht.

Het schilderij hangt in de grote wapenkluis van de Vermeulens, in de kelder onder het huis. De rechercheurs kijken naar het schilderij, de boer en zijn vrouw kijken naar hen.

'Zo mooi, en nu is er een vrouw dood,' zegt Minnie.

'Dat heeft niets met ons te maken, vrouw.'

'Maar toch, Junior.'

Bennie en Vaughn horen het, maar ze blijven naar het schilderij staren.

'We denken dat het Hendrickje Stoffels is,' zegt Minnie.

'Oké,' zegt Cupido. De betovering van de vrouw en het schilderij laat hem niet los.

'Wie?' vraagt Griessel.

'De minnares van Rembrandt,' zegt Minnie. 'Rembrandt heeft haar vaak geschilderd, daarom weten we hoe ze eruitzag. Maar dit is het enige schilderij waarop ze zwanger is. Het stamt uit 1654, kort voor de dood van Fabritius. Er was nog een soort schandaal over haar.'

'Nu ben ik de kluts kwijt,' zegt Cupido.

'Ik ook,' zegt Griessel.

'Die invloed hebben zij en Fabritius op je,' zegt Minnie. 'Kijk hier eens, zien jullie dat brandvlekje?'

Ze kijken. Aan de linkerkant van het schilderij is een hapje weg, en de rand ervan is zwartgeblakerd.

Ze knikken.

'Kom, we gaan koffiedrinken, dan vertel ik jullie alles.'

Ze vertelt het verhaal bedreven, de boerenvrouw met de kuiltjes in haar wangen. Met de hulp van haar man. Dit is hoe zij denkt dat het zit, zegt ze, want er zijn weinig bewijzen voor dit verhaal.

Carel Fabritius heette eigenlijk Carel Pieters, zegt ze. Maar dat is niet belangrijk. Fabritius was een leerling van de beroemde Rembrandt van Rijn. Vijftien jaar nadat hij bij hem in de leer was geweest, in de zomer van 1654, was Fabritius weer bij zijn oude meester in Amsterdam op bezoek en zag hij Rembrandts minnares en voormalig dienstmeisje die zwanger was van hun eerste kind. Terug in Delft maakte Fabritius dit schilderij van Hendrickje, waarschijnlijk als geschenk voor Rembrandt. Hij moet het vóór oktober 1654 voltooid hebben.

Want rond halfelf op de ochtend van 12 oktober 1654 ging de beheerder van het Kruithuis van Delft met een lantaarn het gebouw binnen waar het buskruit van de stad lag opgeslagen. Niemand zal ooit precies weten wat er is gebeurd, maar de ontploffing, die bekendstaat als de Delftse Donderslag, legde meer dan een kwart van de stad in puin. Het was tot honderdvijftig kilometer in de omtrek te horen.

Carel Fabritius, de geniale schilder met een grote carrière voor zich, was thuis toen het Kruithuis ontplofte. Hij was op slag dood en alle schilderijen in zijn atelier werden vernietigd.

'Ik denk dat de brandsporen aan de rand van het schilderij bij de Delftse Donderslag zijn ontstaan,' zegt Minnie Vermeulen. 'Ik denk dat iemand het daar heeft gevonden en ik denk dat die man een Van Schoorl is geweest. Maar ik maak eerst even een sprong van driehonderdvijftig jaar zodat jullie begrijpen waarom ik dat denk.'

Het schilderij, zegt ze, dat overigens op hout is geschilderd, is al vele geslachten in de familie van haar man. Nadat ze met Junior was getrouwd, zag ze het hier in de grote slaapkamer hangen, toen de boerderij nog in het bezit was van haar schoonvader, Willem Vermeulen Senior.

Iedereen die het zag vond het prachtig, maar weinigen hadden dat voorrecht. Want Senior was een trouwe kerkganger, en de bijna-naaktheid van de vrouw was niet iets wat je aan Jan en alleman liet zien.

Toen Junior eindelijk de boerderij overnam, had ze gevraagd of het schilderij in de slaapkamer mocht blijven hangen. 'Nou vooruit,' had schoonvader gezegd. 'Maar je laat het niet aan Jan en alleman zien. Dat moet je beloven.'

En dat deed ze.

Minnie Vermeulen is een echte lezer, zegt ze. Al van jongs af aan. Ze leest van alles, maar ze loopt altijd een beetje achter met haar lezen, want er zijn zoveel mooie boeken en er is zo weinig tijd. Daarom was ze pas april afgelopen jaar aan *Het puttertje* van Donna Tartt toegekomen.

'Wait a minute,' zegt Cupido.

'Daar had die professor het over,' zegt Griessel.

'Dat klopt,' zegt Cupido. 'Hoe zit dat met die Tartt-dame?'

De boerin vertelt dat Donna Tartt een Amerikaanse schrijfster is die een bestseller met de titel *Het puttertje* heeft geschreven, over een schilderij van een puttertje door deze zelfde Fabritius. Het echte puttertje hangt in het Mauritshuis in Den Haag. Maar dat is allemaal onbelangrijk. Wat wel van belang is, is dat Minnie Vermeulen dankzij het boek van Tartt uit haar leesstoel op de veranda achter het huis opstond en naar het schilderij in de slaapkamer liep.

Omdat ze wist dat ze de naam 'Fabritius' eerder had gezien, en ze zeker wist dat die onder het schilderij stond dat boven hun bed hing.

En toen zag ze het: precies dezelfde romeinse letters en hetzelfde handschrift, en in hetzelfde jaar geschilderd als *Het puttertje*.

'Ik kon het niet geloven. Ik wilde het niet geloven. Ik heb met mijn vingertoppen over de olieverf gestreken om mezelf ervan te overtuigen dat het echt was. Ik ben Junior gaan zoeken, en heb hem gevraagd hoe oud het schilderij was. Ik ben met mijn schoonvader gaan praten, ik heb zo veel mogelijk over Fabritius gelezen, en toen ben ik in de geschiedenis en de archieven gedoken om te proberen erachter te komen of het echt was. Want ik wist: als het echt een Fabritius was, was het heel veel geld waard.

Ik heb er allemaal geen bewijzen voor, maar ik denk dat een man met de naam Van Schoorl op de dag dat het Kruithuis in Delft ontplofte, het schilderij in de buurt van het huis van Fabritius heeft gevonden. En ik denk dat hij twee weken daarna op een schip, de Arnhem, naar de Kaap is gekomen om voor de Verenigde Oost-Indische Compagnie te gaan werken. En ik denk dat zijn zoon het schilderij twintig jaar later aan een van de voorvaderen van Junior, een Van Reenen, heeft verkocht.'

Ze zegt dat er maar één manier was om helemaal zeker te weten of het schilderij echt was, en dat was het schilderij aan experts bloot te stellen. Maar daar was ze nog niet klaar voor, want haar schoonvader woonde in het dorp en ze had beloofd het schilderij niet aan Jan en alleman te laten zien.

Toen was ze op internet gaan zoeken en terechtgekomen op de website van een firma die Restore heette, en bij hun expert in Nederlandse schilderkunst uit die tijd. Alicia Lewis.

'Toen heb ik een foto gemaakt van het schilderij en die aan Alicia Lewis gestuurd...'

'Zonder een woord tegen mij te zeggen,' valt Junior haar in de rede.

'Dat is waar, dat kan ik niet ontkennen. Ik wilde eerst horen of er iets van waar was, begrijpen jullie? Hoe dan ook, ik stuurde de foto naar de vrouw en vroeg haar of ze dacht dat het een echte Fabritius kon zijn. Ik kreeg dezelfde dag een mail van haar terug. Ze zei dat het mogelijk was, en of ze me mocht bellen. Toen dacht ik, nee, o heremetijd, stel dat ze de hele wereld gaat vertellen dat hier een Fabritius hangt, vader Senior vermoordt me, en ik zei nee, ik heb geen telefoon, ze kon via de mail met me praten. Een paar dagen later stuurde ze een stel foto's van Rembrandts schilderijen van Hendrickje Stoffels, en ze zei dat ik goed moest kijken of het dezelfde vrouw was. En toen keek ik en ik zag dat de kans heel groot was. Dus schreef ik haar terug, ja, ik denk dat het die vrouw is, en toen kwam er een ellenlange mail waarin ze zei dat ze me een contract zou sturen, ze zou me vertegenwoordigen, ik was het aan de wereld verschuldigd om het schilderij tentoon te stellen, en besefte ik wel dat het, als het echt was, meer dan een miljard rand waard was. Toen schrok ik me echt een hoedje.'

Dat was het moment waarop ze met het hele verhaal naar haar man was gegaan. Junior had haar gevraagd wat die mevrouw Lewis van hen wist. En zij zei, niets, behalve haar e-mailadres: minnie43@mweb.co.za.

'Hou er dan mee op, vrouw,' had Junior gezegd. 'Pa gaat ons onterven en we hebben het geld niet nodig, en we hebben de heisa niet nodig. En het wordt een enorme heisa, dat ding...'

Nu buigt de boer zich naar voren, en hij zegt: 'Maar dat mocht niet baten, want afgelopen november kwam dat detectivemannetje hier op de boerderij met zo'n fotootje op zijn mobiel, en hij vroeg of mijn vader er was, en ik zei nee, mijn vader woont in het dorp, en hij vroeg, maar kent u dit schilderij?'

'Het was de foto die ik aan Alicia Lewis had gestuurd,' zegt Minnie. 'Maar veel kleiner uitgesneden, je kon alleen het gezicht van Hendrickje zien. En een stukje van de mantel.'

'Martin Fillis?' vraagt Cupido. 'Heette die detective zo?'

'Nee, dat was het niet...'

'Billy de Palma.'

'Ja, precies. De Palma. En ik ben zo'n schaap,' zegt Junior, 'ik kan zo slecht liegen dat ik allang heb opgegeven om het te proberen. Dus ik zei tegen hem, ja, ik heb het schilderij weleens gezien. En hij vroeg waar? En ik kwam bij zinnen en vroeg aan hem, waarom wilt u dat weten? En hij kuchte en humde, maar hij wilde het niet tegen me zeggen, en toen zei ik, dan hebben we niets om over te praten. Toen ging hij weer weg...'

'En Junior vertelde het aan mij en ik zei: "Kom Junior, we stoppen het ding in de kluis, straks komt iemand onze Fabritius stelen." Toen hebben we het in de kluis gestopt. En ik heb mijn foto laten uitvergroten en laten inlijsten en die hebben we aan de muur voor ons bed gehangen zodat ik nog steeds naar Hendrickje kon kijken, want inmiddels waren we dikke vriendinnen...'

'Ze hing er nog maar net, toen we op een zondag uit de kerk kwamen, na het Avondmaal hier in het dorp. Ik zette mijn telefoon aan en zag een bericht van de beveiligingsmensen dat het alarm in het huis was afgegaan en dat we moesten komen. En de enige dingen die gestolen waren uit het hele huis, waren de foto van Fabritius aan de muur, mijn parels die in een kistje op mijn toilettafel onder het schilderij zaten, en twee potten perziken op sap uit de keuken.'

'En toen?'

'Toen heb ik een grotere, dikkere deur in de kluiskamer laten zetten.'

17

'Ik dacht dat jullie de gestolen spullen hadden gevonden,' zegt Willem Vermeulen Junior. 'Daarom vroeg ik daarnet of jullie nieuws hadden over het schilderij. Want we hebben de zaak bij de politie aangegeven, we hebben alleen gezegd dat het een portret van een vrouw in een blauwe mantel was. In elk geval dachten we toen dat het de laatste keer was dat we ervan zouden horen. Tot maandag.'

'Toen werd er aangeklopt, zo rond halftwaalf. Junior was in de wijngaard, ik was in de keuken bezig koekjes te bakken, en ik ging kijken, en daar stond die vrouw, helemaal opgetut, en ze zei: "Good morning, I am looking for Willem Vermeulen," en ik zei, ik ben Minnie Vermeulen, aangenaam, en ze keek me zo aan, en ze zei: "Minnie. Of course. Minnie. We've spoken before. Via e-mail. My name is Alicia Lewis."'

'En toen?'

'Toen vroeg ik haar binnen, en ik liet Willem uit de wijngaard halen, want nu was ik bang, jongen, ik had me dit zelf op de hals gehaald, ik had haar de foto en de mail gestuurd en hier was ze. Ze vroeg ook direct of ze de Fabritius mocht zien en ik zei: "No, there's bad news, just wait for my husband to come," en toen hij kwam zei ik in het Afrikaans tegen hem dat hij met me mee moest liegen. Toen hebben we tegen haar gezegd dat het schilderij gestolen was, ze kon het navragen bij de politie, de zaak was aangegeven.'

'En toen?'

'Ze wilde het niet geloven. Toen heb ik haar laten zien waar het schilderij had gehangen. En ze begon te huilen in mijn slaapkamer. Ik moest haar troosten, en ik voelde me verschrikkelijk slecht, ze huilde doordat ik tegen haar loog, maar we hebben volgehouden. Ze heeft 's middags bij ons gegeten en ons uitgevraagd over hoe groot en hoe mooi het schilderij was, en toen is ze vertrokken.'

'Hoe laat?'

'Het zal... Het was laat, ze is lang gebleven, het was alsof ze niet weg wilde gaan. Het zal tegen halfvier zijn geweest?'

Junior beaamt dat.

'Hoe laat is ze gestorven?' vraagt Minnie Vermeulen.

'Kort daarna,' zegt Griessel.

'Ach, heremetijd,' zegt Minnie, en ze begint weer te huilen.

De zon zakt al wanneer ze terugrijden naar Bellville. Griessel rijdt, Cupido belt Mooiwillem Liebenberg om te horen hoe hij met Martin Fillis vordert.

'Hij zit hier nog. Het ziet ernaar uit dat zijn alibi voor maandag waterdicht is, Vaughn. Ome Frankie zoekt nog een paar details uit, maar Fillis zat in zijn kantoor. Dat blijkt uit zijn mobiel, er is een camera bij zijn gebouw waarop hij te zien is, en minstens één van zijn klanten zegt dat hij rond een uur of drie een bespreking met hem heeft gehad.'

'Damn... En wat dacht je van een huurmoord, Willem?'

'Zijn telefoongegevens van de afgelopen maand laten niets verdachts zien, Vaughn. Alleen als je iets verder teruggaat...'

'Ja?'

'In het systeem van Philip en zijn team plopte er een vlaggetje op bij een hele reeks telefoontjes tussen Fillis en een zekere Rudewaan Ismail. Meer dan vierendertig telefoontjes, heen en weer, een paar weken lang. En die Ismail heeft een indrukwekkend strafblad. Hij is al zeven keer opgepakt voor inbraak, het is een pro.'

'Wanneer, Willem? Wanneer had Fillis contact met Ismail?'

'Even kijken...'

'November? December?'

'Klopt, begin december. Ze hadden een paar keer per dag contact, tot aan de veertiende.'

'Is er een last known address van Ismail?' vraagt Cupido.

'Ja, Mitchell's Plain...'

'Vraag of ze hem oppakken, Willem. Voor diefstal van een schilderij uit een boerderij bij Villiersdorp.'

Griessel en Cupido nemen een kijkje bij Ome Frank Fillander en Mooiwillem Liebenberg die nog steeds Fillis verhoren. Fillis zit niet meer, hij loopt op en neer door de kamer, hij vloekt tegen ze, hij zegt dat hij de Valken en de hele SAPS gaat dagvaarden. De vloer ligt vol peuken, de ruimte stinkt naar oude rook.

'Go ahead,' zegt Cupido. 'Maar laat ik je iets vertellen, Billy-boy. We krijgen je te pakken. Je makkertje Rudewaan Ismail is op weg om ons een bezoekje te brengen. En hij gaat een deal met ons sluiten, reken maar van yes.'

'Fuck you, Vaughn,' maar nu lijkt hij bezorgd. 'Ik wil eten en drinken en sigaretten, ik praat niet meer met jullie.'

Ze gaan weg. Fillis scheldt ze na.

Ze gaan naar het kantoor van Cupido om het politiebureau van Villiersdorp te bellen, want ze willen het dossier van de inbraken.

Rudewaan Ismail is eenenveertig, broodmager, met een dun potloodsnorretje, en een overdreven beleefde en onderdanige houding. Ze zitten met hem in Cupido's kantoor en hij zegt: 'Nee, sieurs, dat strafblad, die schuldbekentenis, het berustte allemaal op een misverstand, ik ben niet iemand die steelt, men heeft spullen bij mij geplant.'

'Al zeven keer, brother?' vraagt Cupido.

'Moeilijk te geloven, dat weet ik, maar is waar, sieurs.'

'Sieurs. Dat is ouderwets, brother.'

'Zo ben ik nu eenmaal.'

'Rudewaan, je kent Martin Fillis...'

'Zou ik niet kunnen zeggen, sieur...'

'Nee, we weten dat je hem kent. Want we hebben gegevens van een heleboel telefoontjes in december, en we hebben Fillis zelf hier in de verhoorkamer, en hij zingt als een kanarie. Hij zegt dat jij die inbraken hebt gepleegd, niet hij. Hij heeft het jou alleen maar ingefluisterd...'

'Nee, sieur, dit laat geen belletje rinkelen,' maar zijn ogen staan ineens heel onrustig.

'Het punt is, Rudewaan, hij wil jou met die crime opzadelen.

81

Hij wil hier de deur uit lopen als een free man, terwijl jij weer de petoet in gaat. Dat is niet eerlijk.'

'Maar het is louter zijn woord tegen het mijne, sieur...'

'Dat is het niet,' liegt Griessel. 'We weten dat je handschoenen aanhad bij de inbraken, Rudewaan. Maar onze forensische jongens hebben haren van jou op de plaats delict gevonden. Haren vallen voortdurend uit, en nu gaan we de haren laten testen op DNA, en dan kunnen we je op de plaats delict plaatsen. Dan vlieg je weer de bak in.'

'Ai, sieur...'

'Here's the deal, Rudewaan,' zegt Cupido. 'Het gaat ons niet om jou, het gaat ons om die slang van een Fillis. Ik zweer je, je loopt hier vanavond als vrij man weg als je de waarheid vertelt. Ik ben je verlaat-de-gevangenis-zonder-betalen-kaart.'

'Ai, sieur...'

'Laatste kans, Rudewaan.'

'De rechter gaat je deze keer heel lang opbergen,' zegt Griessel.

'Kan sieur de deal voor mij op schrift zetten?'

'Je bent old school, maar je bent niet dom, brother.'

Klein, zenuwachtig glimlachje achter de potloodsnor. 'Nee, sieur, ik ben niet dom.'

Rudewaan Ismail vertelt hun dat Martin Fillis hem acht jaar geleden voor inbraak heeft aangehouden, toen Fillis nog rechercheur op bureau Caledonplein was. 'Maar vervolgens arresteerde hij me niet, hij zei dat hij van nu af aan vijfhonderd rand per maand protection money wilde.' Ismail betaalde, tot hij op een nacht in Durbanville op heterdaad werd betrapt en de gevangenis in moest.

'En vervolgens, eind vorig jaar, kwam Fillis bij me, voor het eerst in ik weet niet hoeveel jaar dat ik hem zag, en hij zei dat hij me tienduizend rand gaf als ik een schilderij voor hem zou stelen in een boerderij. Bij Villiersdorp.'

'Wat voor schilderij?'

'Vrouw in het blauw.'

'Pardon?'

'Vrouw in het blauw. Dat is wat Fillis zei. Hij liet een fotootje zien, en vervolgens zei hij, breng me de vrouw in het blauw.'

De twee rechercheurs kijken elkaar veelbetekenend aan.

'Oké, ga door.'

'Ik ben gaan praten met de mensen die op de boerderij werken en vervolgens zag ik, ja, zondag tijdens kerktijd was het beste, en ik zag daar in de slaapkamer de vrouw in het blauw, dezelfde als op de foto. Dus ik stal haar. En ik bracht haar naar Fillis, maar hij zei dat ik een imbeciel was, want dat was geen schilderij, iedere idioot kon zien dat het een foto was. Dus ik zei, maar dat is de enige vrouw in blauw in het hele huis, en ik wil mijn geld. En hij zei, dan is het schilderij in het huis van de oude man, en ik vroeg wat voor oude man en hij zei, maakt niet uit, hier is het adres. Toen ben ik gegaan en heb ik alle schilderijen op dat adres gestolen. Maar er was geen vrouw in blauw. Dus heeft hij me nog niet betaald. Dus ik zit hier geen vriend te verlinken, begrijpt u?'

Ze arresteren Martin Fillis van Billy de Palma Private Investigations op beschuldiging van medeplichtigheid aan inbraak, samenzwering en handel in gestolen goederen. Ze komen bij Mooiwillem Liebenberg en Frankie Fillander zitten en verhoren Fillis meedogenloos tot na middernacht over zijn doen en laten die maandag. Ze bestuderen weer zijn telefoongegevens en zijn alibi's, maar ze oogsten niets behalve vloekende verwijten en het dringende verzoek om zijn advocaat te bellen.

Ze sluiten hem voor de nacht op in een cel van de SAPS in Bellville, en rijden na één uur zondagochtend naar huis.

Vaughn Cupido is er nog steeds van overtuigd dat Fillis iets met de dood van Alicia Lewis te maken heeft. Hij weet alleen niet waar ze bewijzen vandaan moeten halen.

Bennie Griessel deelt de verdenkingen van zijn collega niet. Hij heeft de moed verloren. Hij weet dat ze niet echt een verdachte hebben.

18

Griessel is tegen zeven uur weer op en zit met Alexa aan de tafel in de grote keuken koffie te drinken. Zijn hoofd is vol van de betovering van het schilderij en het onderzoek, en hij vertelt haar over de magie en de ongelooflijke reis van het werk van Fabritius, van een explosie in een stad in Nederland driehonderdtweeënzestig jaar geleden tot aan de wapenkluis van een boerderij in Villiersdorp op het zuidelijkste puntje van Afrika. Een schilderij dat misschien een miljard rand waard kan zijn, maar voor de eigenaren is de waardigheid en het gevoel van fatsoen van een bejaarde gepensioneerde boer belangrijker dan het geld en de vermoedelijke roem.

Alexa luistert aandachtig, zoals altijd. Haar gezicht straalt van bewondering voor hem, haar hand pakt soms even meelevend de zijne, en hij weet, het zijn dit soort momenten die hem ervan hebben overtuigd dat hij met haar wil trouwen. Momenten waarin ze maakt dat hij zich de moeite waard en nuttig en belangrijk en gewaardeerd voelt. En geliefd.

Hoe leg je dat uit aan Vaughn Cupido?

Ze zegt dat ze een lekkere omelet met kaas en champignons voor hem gaat maken. Hij zegt dat hij weer naar kantoor moet, hij heeft een beetje haast, hij eet wel wat Weetabix.

'Ga maar douchen, als je eruit komt is je omelet klaar.'

'Dank je, Alexa.' En hij doet een schietgebedje dat de omelet een beetje eetbaar zal zijn, alsjeblieft.

Onder de douche hoort hij haar binnenkomen: 'Je telefoon gaat de hele tijd.'

Hij trekt de deur van de douche open, ze heeft zijn handdoek in de ene hand, en zijn telefoon in de andere.

'Wie was het?'

'Ik weet het niet, er is alleen een nummer...'

Hij kijkt. *Twee gemiste oproepen.*

Hij droogt zijn hand af. 'Dank je, Alexa.' In adamskostuum belt hij het nummer terug.

Er wordt snel opgenomen. 'Hallo, met Willie.'

'Met Bennie Griessel. Je had dit nummer gebeld.'

'O, ja, u bent de kapitein van de Valken? Die het onderzoek van het Gebleekte Lijk doet?' Opgewonden mannenstem.

'Dat klopt.'

'Man, ik denk dat ik een foto van de moordenaar heb.'

De moed zinkt Griessel in de schoenen. Bij elk onderzoek zijn er de grappenmakers en de gekken, de eenzamen, de gooche-merds en de mafketels die bellen met voorstellen en oplossingen en kritiek en theorieën.

'Hoe kom je aan mijn nummer?'

'Ja, dat was een heel gedoe. Van jullie forensische jongens. Ik heb eerst met de politie in Grabouw gesproken, en die gaven me het nummer van Forensisch, en toen zei die Arnold dat ik met u moest praten.'

'En de foto?' Hij weet nu zeker dat het een Arnold-geintje is.

'Ik zit bij de Cape Leonard Trust, eigenlijk zit ik in Bettysbaai, maar we hebben bijna vijftig camera's, van de Groot Winterhoek-bergen bij Porterville tot hier op de Kogelberg. Het zijn camera's die we opstellen om luipaarden te fotograferen; als ze tussen de sensor en de camera door lopen, breken ze de straal en dan wordt er een foto genomen, we onderzoeken hun aantallen en bewegingen.'

'Oké,' zegt Griessel, met een eerste vermoeden dat het mis-schien geen grap is.

'Na de regen liep ik een beetje achter, gisteren, door al die mod-der op de bergpaden, toen ben ik laat op pad gegaan. Tegen de tijd dat ik bij de camera's van de Groenlandberg kwam, was het al donker, dus heb ik alleen de geheugenkaart in de camera ver-wisseld en ben naar huis gegaan. En toen ik vanochtend die foto's ging bekijken, zag ik een luipaard, een Toyota, een Volkswagen, en toen een stel politiemensen en een busje met SAPS PROVINCIAL CRIME SCENE INVESTIGATION UNIT op de zijkant. Toen heb ik de politie in Grabouw gebeld, en zij vertelden dat jullie daar gis-teren de auto hadden gevonden van de Gebleekte Lijk-vrouw.'

'Dat klopt.'

'Nu heb ik een foto van de man die die auto daarnaartoe heeft gereden. Volgens de datumstempel van de foto was dat maandagavond, even na elven.'

Griessel vraagt de man waar hij is, en hij zegt dat hij nu thuis in Bettysbaai is, maar dat hij de oorspronkelijke geheugenkaart waarop de foto staat zal komen brengen, hij wil niet dat die 'zoekraakt of zo'.

Bennie bedankt hem en kleedt zich haastig aan terwijl hij aan Alexa uitlegt dat hij geen tijd heeft om een omelet te eten. Ze pakt wat koeken voor hem, doet ze in een plastic zakje, en stopt dat in zijn jaszak terwijl hij Vaughn Cupido belt. Zijn collega zegt: 'We hebben hem, Benna, we gaan die etter van een Fillis vandaag pakken, reken maar.'

In de auto eet hij de lekkere mueslikoeken die Alexa bij Woolworths Food koopt. Hij is als eerste bij de DPCI, Cupido komt tien minuten later en ze staan ongeduldig buiten op de stoep te wachten op Willie Bruwer, de luipaardonderzoeker.

'Je had hem moeten vragen de foto te mailen,' zegt Cupido.

'Hij wilde hem zo graag zelf komen brengen,' zegt Griessel. 'Ik denk dat hij er een beetje deel van wil uitmaken.'

'His moment of glory.'

Ze wachten bijna een kwartier en dan komt de Land Cruiser met gierende banden de hoek van de Voortrekkerweg om, maakt een wijde U-bocht, en stopt recht voor hen. Bruwer is jong, Griessel schat hem niet ouder dan vierentwintig, hij draagt de kaki-met-groene kleren van een natuurbeschermer. Hij zwaait naar hen, stapt uit, slaat het portier dicht en komt met een zwarte tas in zijn hand aanlopen.

Hij stelt zich voor, ze geven elkaar allemaal een hand, Cupido vraagt hem binnen te komen, en in de verlaten hal van de Valken, op de balie waar Mavis door de week zit, zet Bruwer de laptop aan, stopt de geheugenkaart erin en roept de foto's op. Eerst het luipaardvrouwtje, en dan de grijze Toyota.

Het gezicht van de bestuurder is niet duidelijk, maar er zijn meer dan genoeg details om hem te identificeren.

'Krijg nou tieten,' zegt Vaughn Cupido. 'Dat geloof je toch niet?'

Ze stoppen om 10.24 uur bij de slagboom van het Schonenberg Seniorencomplex. Ze stappen allebei uit, pakken hun SAPS-identificatiekaarten en laten die aan de bewaker zien. 'We zijn hier voor professor Marius Wilke. Doe de slagboom open en vertel hem niet dat we eraan komen.'

'De prof is naar de kerk,' zegt de bewaker.

Ze zijn teleurgesteld, ze waren klaar voor de confrontatie.

'Is dit de enige toegang?'

'Ja.'

'Hoe laat komt hij terug?'

'Rond halftwaalf, als ze niet gaan eten. Vaak gaan ze op zondag bij Waterstone's eten.'

'Ze?'

'Hij en de Hulk.'

'Wie is de Hulk?'

'De chauffeur van de prof. Hij rijdt immers zelf niet meer.' En dan: 'Bertie,' met een bepaalde stembuiging en een vinger die tegen de slaap tikt, 'heeft ze niet allemaal op een rijtje.'

Ze geven de bewaker nauwkeurige instructies en rijden het terrein op, naar het huis van Marius Wilke.

'Ik ben een idioot,' zegt Griessel terwijl ze naar de weg zitten te kijken.

'Hoezo Benna?'

'Wilke zei dat hij zelf niet meer rijdt. Ik had hem moeten vragen hoe hij bij het hotel was gekomen, om met Lewis te ontbijten.'

'Nee, Benna, er zijn zoveel manieren tegenwoordig. Uber, taxi, de trein...'

Griessel schudt zijn hoofd. 'Nee, daar zie ik hem niet in zitten.'

'Nou ja, dan zijn we alle twee idioten.'

Om 11.37 uur belt de bewaker. 'Ze zijn hier net langsgekomen.'

Minder dan een minuut later zien ze de Volkswagen Caddy de hoek om komen. Ze stappen uit en wachten de auto op. Hij stopt midden op de weg, vijftig meter van hen af. Ze kunnen het spierwitte hoofd van de professor zien, en achter het stuur een bonkige vorm.

De Caddy blijft stationair draaien, de portieren blijven dicht. Ze lopen eropaf, ze zien Wilke praten en gebaren en de bonkige blijft alleen maar zitten. Cupido haalt zijn dienstwapen tevoorschijn en houdt het langs zijn lichaam. Griessel doet hetzelfde. Ze lopen sneller.

Het portier aan de passagierskant gaat open. Wilke stapt uit. 'Vaughn, jongen...' maar de glimlach is geforceerd.

Cupido heft zijn pistool en richt het op de grote man achter het stuur. 'Zeg dat hij de motor moet afzetten, prof. Nu!'

Wilke praat naar binnen in de auto, ze kunnen niet horen wat hij zegt. Ze beginnen te rennen, Griessel is het dichtst bij de bestuurder, hij ziet dat de ogen van de man wild heen en weer gaan tussen hen en de professor, hij schreeuwt: 'Zet de motor af of ik schiet,' hij ziet de angst in de ogen, hij weet dat de man nu iets gaat doen.

'Bertie, doe wat ze zeggen.' De hoge eendenstem van Marius Wilke snijdt door alles heen, een scherp bevel.

Bertie zet de motor van de Caddy af en steekt langzaam zijn handen omhoog.

Op het politiebureau van Somerset West laten ze de foto aan Marius Wilke zien, de foto waarop hij achter het stuur van de gehuurde Toyota van Alicia Lewis zit. Hij kijkt ernaar, zucht diep en zegt: 'Het was een ongeluk. Ik zweer het, het was een ongeluk. Ze is gevallen. Daar bij de brug over het Theewaterskloofmeer. Het was gewoon een ongeluk. Maar ik wist dat niemand ons zou geloven. Dat wist ik.'

Ze nemen het gesprek op met een videocamera en hun telefoons. Hij zegt: 'Bennie, jongen, ik heb jullie niet de volledige waarheid verteld.'

Maar hij had wel een deel van de waarheid aan hen verteld:

hij heeft inderdaad onderzoek naar het schilderij gedaan, hij heeft de verwijzing van Thibault, de geweldige, oprechte, slimme, veelzijdige Thibault, naar het schilderij gevonden. Het schilderij maakt deel uit van de Kaap, van de tapisserie van geschiedenis waaruit dit land is geweven. Hij heeft de stamboom van Gysbert van Reenen voor Alicia Lewis nagetrokken. Van degene die het schilderij heeft gekocht tot aan Willem Vermeulen Junior. Kaapse mensen. Zuid-Afrikanen. Deel van déze streken. Dit land. Wat betekent dat het Zuid-Afrikaans is; het schilderij van Fabritius maakt deel uit van de diepste kern van de Kaap. En Zuid-Afrika.

En ze moeten begrijpen dat iemand de erfenis moet behoeden. Mensen geven er niet meer om, niemand geeft meer om de geschiedenis en de cultuur, niet eens meer om De Taal, iedereen jaagt alleen maar rijkdom en roem na, hij heeft het gezien, zijn hele leven lang, hoe de geschiedenis en historische voorwerpen verwaarloosd en beschadigd worden, hoe het Afrikaans wordt aangevallen en ontmanteld. Nu, de afgelopen paar jaar, al die kunstwerken en standbeelden op campussen die worden verbrand of afgebroken in naam van de dekolonisatie en Rhodes must Fall en alle andere zinloze veldtochten, we kunnen de geschiedenis toch niet ontkennen? We kunnen haar toch niet veranderen? Begrijpen de mensen dat niet? We moeten weten waar we vandaan komen, voordat we kunnen weten wie we zijn en waar we naartoe gaan.

Zo praat Marius Wilke, achter elkaar door, een constante stroom woorden en pleidooien, met passie in zijn hoge ijle stem. Hij vertelt dat hij heeft geprobeerd de negen mensen zelf op te sporen, maar dat ging te langzaam.

En toen hoorde hij weer van Alicia Lewis, kortgeleden. Ze zei dat ze naar de Kaap kwam, en hij had de laatste keer beloofd om haar een boek te geven. Toen wist hij: ze heeft het schilderij gevonden. En hij zag zijn kans en ging met haar ontbijten en nam zijn beste boek voor haar mee zodat ze hopelijk de Kaapse geschiedenis kon begrijpen en een beetje kon waarderen. Zodat ze met een welwillend oor naar zijn pleidooi zou luisteren. Want

in dat hotel, die ochtend, heeft hij haar gesmeekt: laat de hebzucht niet zegevieren. Laat het schilderij niet het land uit gaan.
Houd het hier. Maak het bekend, maar help me om het hier te
houden.

Toen lachte ze, pakte het boek, en daar ging ze.

19

Hij is bij Bertie ingestapt en heeft tegen hem gezegd dat hij voor het hotel moest wachten. En toen ze naar buiten kwam zijn ze achter haar aan gegaan.

Lewis reed naar Franschhoek. Over de Franschhoek-pas, naar Theewaterskloof. Naar Villiersdorp. Door het dorp en naar de boerderij van Willem en Minnie Vermeulen.

Het was een van de namen op de lijst die hij indertijd naar Lewis had gestuurd. Willem Vermeulen.

Nu wist hij, dat is waar het schilderij is. Ze kwam het halen.

Hij heeft gewacht met Bertie, en toen Lewis aan het eind van de middag weer wegreed, wilde hij alleen zien hoe het schilderij eruitzag. Ja, hij wilde het heel graag zien, want het zou misschien de enige keer in zijn leven zijn dat hij het voorrecht zou hebben, hij is al een oude man. En hij had toch onderzoek gedaan en het opgespoord, hij had het recht...

Nou goed, nou goed, hij wilde het schilderij zien, en hij wilde voor het laatst proberen haar te overreden om het niet mee het land uit te nemen. Hij dacht echt dat hij haar kon overreden, met zijn intellect, zijn logica, zijn zuivere denken had hij al vaak mensen overreed, en ze was toch een slimme vrouw.

Griessel en Cupido hebben in hun loopbaan al honderden bekentenissen gehoord. Maar nog nooit een die zo bezield wordt verteld. De stem van Marius Wilke blijft maar stijgen, in toon en emotie. Het kleine lichaam dat bij elke onthulling schokt en trekt, het gezicht, de ogen, alles werkt samen in een verbeten, bezeten poging om hen ervan te overtuigen dat dit de waarheid is.

Hij gaf Bertie opdracht haar Toyota te passeren, en haar tot stoppen te dwingen.

Op de brug over het meer lukte dat. Ze sprong uit haar huurauto, ze was heel boos, Alicia Lewis. 'Hoe durf je, hoe durf je?' Hij probeerde haar te sussen, probeerde het uit te leggen, zij dreigde met de politie, ze was gewoon niet voor rede vatbaar. Hij zei dat hij alleen het schilderij wilde zien, dat was het enige wat hij vroeg.

'Fuck off, halvegare,' schreeuwde ze.

Hij verloor zijn zelfbeheersing. Want ze was een bullebak. Hij heeft bullebakken gekend als kind, bullebakken die hem pestten omdat hij zo klein was en zo'n scherp verstand had, ze zeiden tegen hem dat hij een clown was, een gedrocht, daarom verloor hij zijn zelfbeheersing. Bovendien: het was zijn passie, zijn levenstaak, zijn liefde voor de geschiedenis, daarom probeerde hij haar tegen te houden, en nu schold ze op hem? Op hem? Hij die haar had geholpen het schilderij te vinden?

Zijn wraak, zijn reactie op haar bullebakwoorden, was geen geweld. Nee, zo is hij niet. Het enige wat hij op dat moment van woede wilde doen, was zijn boek terugpakken. Het boek dat hij die ochtend bij het ontbijt voor haar had gesigneerd en aan haar had gegeven.

Hij was naar haar auto gelopen, had het portier opengetrokken en haar tas gegrepen. Daar zat het boek in.

Ze schreeuwde en vloekte, ze greep het andere hengsel van de tas, ze trok. Hij trok. Hij is klein en oud en zwak, zij was sterker, groter, jonger, zwaarder. Hij realiseerde zich dat het nutteloos was.

Hij maakte een grote fout, hij liet de tas los. Zo ineens.

Ze wankelde achteruit. Ze viel over de reling van de brug.

Ze hoorden de akelige klap toen ze iets raakte.

Hij was in shock. Hij hoorde Bertie, die lieve, lieve Bertie, staan jammeren als een kind. Hij was in shock, zijn hoofd maalde, Bertie jammerde, en toen besefte hij, nu moest hij zijn verstand gebruiken om hen allebei te beschermen, zijn logica, zijn redenatievermogen. Maar vooral Bertie. Want Bertie is als een kind, Bertie kan niet aansprakelijk zijn. Bertie was de zoon van zijn buurvrouw, toen hij nog in Stellenbosch woonde. Bertie is jaren geleden met de motorfiets gevallen. Hersenbeschadiging. Bertie bleef bij zijn moeder wonen, zijn moeder zorgde voor hem. En toen overleed zijn moeder, en had Bertie niets en niemand, en toen had Marius Wilke zich over Bertie ontfermd en hem werk gegeven. Rijd mij maar rond, Bertie, ik kan zelf geen auto meer rijden. Hij gaf Bertie trots. Als hij een slecht mens was, zou hij dat toch niet hebben gedaan?

Hij stond in shock op de brug over het meer, en toen kreeg hij zijn zelfbeheersing terug en zei: 'Stil, Bertie. Het was gewoon een ongeluk.'

En hij dacht over alles na. Hij bedacht hoe het eruitzag. Ze hadden haar immers achtervolgd. Als misdadigers. Ze hadden haar van de weg gedwongen. Het zal er heel slecht uitzien. Niemand zal hem geloven. Hij zal iets moeten bedenken. Om Bertie te beschermen, eigenlijk alleen om Bertie te beschermen.

Toen bedacht hij een plan.

In de schemering vonden ze een weggetje dat omlaagliep, zodat ze haar lichaam onder de brug, van de droge bedding van het meer konden gaan halen. 'Het is de schuld van de droogte, twee jaar geleden zou ze in het water zijn gevallen, het is de schuld van de droogte.'

Ze hebben haar lichaam in de kofferbak van de Toyota gelegd. Hij heeft Bertie naar Grabouw gestuurd om bleekmiddel te kopen, zoveel hij kon vinden, maar niet meer dan twee flessen in elke winkel. En flessen water en doekjes en een emmer. Hij leest veel, hij is op de hoogte, hij ziet alle misdaadprogramma's op tv, hij weet van bleekmiddel en DNA.

Hij heeft ook haar mobiel uit haar tas gepakt en tegen het beton van een pilaar van de brug kapotgegooid, want hij weet van mobiele telefoons, en wat die allemaal kunnen verraden.

Hij heeft bij haar gewacht en gewaakt tot Bertie kwam.

Hij is vooruitgereden met haar auto, hij heeft een boerderijweggetje gezocht en er een gevonden, waar hij met die luipaardcamera is gefotografeerd. Hij stond zo stijf van de spanning dat hij niet heeft gemerkt dat hij gefotografeerd werd.

Bertie reed achter hem aan. Ze hebben haar auto gewassen. Ze hebben haar uitgekleed, en haar gewassen. Toen hebben ze haar weer in de kofferbak gelegd. Ze hebben haar tas en haar kleren en autosleutels meegenomen, en alle lege waterflessen en doekjes.

Die hebben ze uit de Caddy gegooid, een voor een, langs de weg, elke vijf of zes kilometer.

Bertie heeft hem afgezet bij zijn huis in Somerset West.

En toen zag hij op het nieuws de vrouw op de bergpas en belde hij Bertie en vroeg, wat heb je gedaan, Bertie?

Toen zei Bertie: 'Ze lag daar in het donker, professor. Dat is niet goed, je laat iemand niet zo in het donker achter.'

Bertie was haar gaan halen en had haar op de bergpas uitgestald.

20

Dinsdag belt de bank Bennie Griessel, kort voor de lunch.
De vrouw is heel vriendelijk. 'U staat overal in de krant,' zegt ze.
'U bent eigenlijk beroemd.'

Hij weet hier niets zinnigs op te zeggen.

'Waarom hebt u niet verteld dat u bij de Valken zit?'

Het staat op zijn aanvraagformulier: DPCI. Maar zij weten niet
dat dat de Valken zijn. Weer zegt Griessel niets.

'We verschaffen je graag de lening, Bennie. Mag ik Bennie zeggen? Kom gerust langs, dan tekenen we alles, en we willen ook
graag wat foto's maken als je dat goedvindt. Wanneer komt het
uit?'

Hij schudt alleen zijn hoofd. Nu heeft hij iets wat zij willen
hebben.